LUGAR DE FALA

**FEMINISMOS
PLURAIS**
COORDENAÇÃO
DJAMILA **RIBEIRO**

DJAMILA RIBEIRO

LUGAR DE FALA

FEMINISMOS
PLURAIS
COORDENAÇÃO
DJAMILA RIBEIRO

DJAMILA RIBEIRO

SUELI CARNEIRO   jandaíra

SÃO PAULO | 2020
6ª REIMPRESSÃO

Copyright © 2019 Djamila Ribeiro
Todos os direitos reservados à Editora Jandaíra, uma marca da Pólen
Produção Editorial Ldta., e protegidos pela lei 9.610, de 19.2.1998.
É proibida a reprodução total ou parcial sem a expressa anuência da editora.

Este livro foi revisado segundo o Novo Acordo Ortográfico
da Língua Portuguesa.

Direção Editorial
Lizandra Magon de Almeida

Revisão
Luana Balthazar

Projeto gráfico e diagramação
Daniel Mantovani

Foto da Capa
Ricardo Prado

Dados Internacionais de Catalogação na Publicação (CIP)
Angélica Ilacqua CRB-8/7057

Ribeiro, Djamila

Lugar de fala / Djamila Ribeiro. -- São Paulo : Sueli Carneiro ;
Editora Jandaíra, 2020.

112 p. (Feminismos Plurais / coordenação de Djamila Ribeiro)

ISBN: 978-85-98349-68-8

1. Feminismo 2. Negras 3. Mulheres I. Título II. Série

19-0309   CDD 305.42

---

jandaíra
www.editorajandaira.com.br
atendimento@editorajandaira.com.br
(11) 3062-7909

À Thulane, pedaço de mim e do mundo.

E o risco que assumimos aqui é o do ato de falar com todas as implicações. Exatamente porque temos sido falados, infantilizados (infans é aquele que não tem fala própria, é a criança que se fala na terceira pessoa, porque falada pelos adultos) que neste trabalho assumimos nossa própria fala. Ou seja, o lixo vai falar, e numa boa.

Lélia Gonzalez,
*Racismo e sexismo
na cultura brasileira.*

AGRADECIMENTOS

A *Odé*, à Carla Moradei Tardelli por me desvelar a ideia de escrever um livro, e ao Rodney William por cuidar do meu *Ori*.

A Joice Berth, Isis Vergílio, Juliana Borges.

Agradecimento especial ao Brenno Tardelli, pela cumplicidade na escrita, na vida e no amor.

SUMÁRIO

APRESENTAÇÃO 11
UM POUCO DE HISTÓRIA 17
MULHER NEGRA: O OUTRO DO OUTRO 33
O QUE É LUGAR DE FALA? 53
TODO MUNDO TEM LUGAR DE FALA 81
NOTAS E REFERÊNCIAS 93

APRESENTAÇÃO

FEMINISMOS
PLURAIS

O objetivo da coleção Feminismos Plurais é trazer para o grande público questões importantes referentes aos mais diversos feminismos de forma didática e acessível. Por essa razão, propus a organização – uma vez que sou mestre em Filosofia e feminista – de uma série de livros imprescindíveis quando pensamos em produções intelectuais de grupos historicamente marginalizados: esses grupos como sujeitos políticos.

Escolhemos começar com o feminismo negro para explicitar os principais conceitos e definitivamente romper com a ideia de que não se está discutindo projetos. Ainda é muito comum se dizer que o feminismo negro traz cisões ou separações, quando é justamente o contrário. Ao nomear as opressões de raça, classe e gênero, entende-se a necessidade de não hierarquizar opressões, de não criar, como diz Angela Davis, em *Mulheres negras na construção de uma nova utopia*, "primazia de uma opressão em relação a outras". Pensar em feminismo negro é justamente romper com a cisão criada numa sociedade desigual. Logo, é pensar projetos, novos marcos civilizatórios, para que pensemos um novo modelo de sociedade. Fora isso, é também divulgar a produção intelectual de mulheres negras, colocando-as na condição de sujeitos e seres ativos que, historicamente, vêm fazendo resistência e reexistências.

Entendendo a linguagem como mecanismo de manutenção de poder, um dos objetivos da coleção é o compromisso com uma linguagem didática, atenta a um léxico que dê conta de pensar nossas produções e articulações políticas, de modo que seja acessível, como nos ensinam muitas feministas negras. Isso de forma alguma é ser palatável, pois as produções de feministas negras unem uma preocupação que vincula a sofisticação intelectual com a prática política.

Não é sem fundamento ou sorte começarmos com o título *Lugar de fala*. A razão é que vimos a necessidade de contribuir para um debate mais saudável, honesto e com qualidade. Acreditamos que discussões estéreis e dicotomias vazias que se balizam por "é um conceito importante ou não é?" tentam encerrar uma teoria em opiniões ou inversões lógicas. E o mais importante: há a tentativa de deslegitimação da produção intelectual de mulheres negras e/ou latinas, ou que propõem a descolonização do pensamento. O propósito aqui não é impor uma epistemologia de verdade, mas contribuir para o debate e mostrar diferentes perspectivas.

Com vendas a um preço acessível, nosso objetivo é contribuir para a disseminação dessas produções. Para além desse título, abordamos também temas como encarceramento, racismo estrutural, branquitude, lesbiandades, mulheres, indígenas e caribenhas, transexualidade, afetividade, interseccionalidade, empoderamento, masculinidades. É importante pontuar que essa coleção é organizada e escrita por mulheres negras e indígenas, e homens negros de regiões diversas do país, mostrando a importância de pautarmos como sujeitos as questões que são essenciais para o rompimento da narrativa dominante e não sermos tão somente capítulos em compêndios que ainda pensam a questão racial como recorte.

Grada Kilomba em *Plantations Memories: Episodes of Everyday Racism*, diz:

> Esse livro pode ser concebido como um modo de "tornar-se um sujeito" porque nesses escritos eu procuro trazer à tona a realidade do racismo diário contado por mulheres negras baseado em suas subjetividades e próprias percepções. (KILOMBA, 2012, p. 12)

Sem termos a audácia de nos compararmos com o empreendimento de Kilomba, é o que também pretendemos com essa coleção. Aqui estamos falando "em nosso nome"[1].

Djamila Ribeiro

UM POUCO DE HISTÓRIA

Antes de chegarmos ao que se entende sobre o conceito de lugar de fala propriamente dito, é importante falarmos dos percursos de luta e intelectuais de mulheres negras durante a história. A escolha por Sojouner Truth não é aleatória. Ao contrário, serve para nos mostrar que desde muito tempo as mulheres negras vêm lutando para serem sujeitos políticos e produzindo discursos contra-hegemônicos.

Nascida em um cativeiro em Swartekill, em Nova York, Isabella Baumfree decidiu adotar o nome de Sojourner Truth a partir de 1843 e tornou-se abolicionista afro-americana, escritora e ativista dos direitos da mulher. Em decorrência de suas causas, em 1851, participou da Convenção dos Direitos da Mulher, na cidade de Akron, em Ohio, nos EUA, onde apresentou seu discurso mais conhecido denominado "E eu não sou uma mulher?"[2]. Tal discurso, feito de improviso, foi registrado por Frances Gages, feminista e uma das autoras do grande compêndio de materiais sobre a primeira onda feminista, denominado *The History of Woman Suffrage*, porém, a primeira versão registrada foi feita por Marcus Robinson, na edição de 21 de junho de 1851, no *The Anti-Slavery Bugle*[3].

> Bem, minha gente, quando existe tamanha algazarra é que alguma coisa deve estar fora da ordem. Penso que espremidos entre os negros do sul e as mulheres do norte, todos eles falando sobre direitos, os homens brancos, muito em breve, ficarão em apuros. Mas em torno de que é toda essa falação?
> Aquele homem ali diz que é preciso ajudar as mulheres a subir numa carruagem, é preciso carregar elas quando atravessam um lamaçal e elas devem ocupar sempre os melhores lugares. Nunca ninguém me ajuda a subir numa carruagem, a passar por cima da lama ou me cede o melhor lugar! E não sou uma mulher? Olhem para mim! Olhem para meu braço! Eu capinei, eu plantei, juntei palha nos celeiros e homem nenhum conseguiu me superar! E não sou uma mulher? Eu consegui trabalhar e comer tanto quanto um homem – quando tinha o que comer – e também aguentei as chicotadas! E não sou uma mulher? Pari cinco filhos e a maioria deles foi vendida como escravos. Quando manifestei minha dor de mãe, ninguém, a não ser Jesus, me ouviu! E não sou uma mulher?
> E daí eles falam sobre aquela coisa que tem na cabeça, como é mesmo que chamam? (uma pessoa da plateia murmura: "intelec-

to"). É isto aí, meu bem. O que é que isto tem a ver com os direitos das mulheres ou os direitos dos negros? Se minha caneca não está cheia nem pela metade e se sua caneca está quase toda cheia, não seria mesquinho de sua parte não completar minha medida?

Então aquele homenzinho vestido de preto diz que as mulheres não podem ter tantos direitos quanto os homens porque Cristo não era mulher! Mas de onde é que vem seu Cristo? De onde foi que Cristo veio? De Deus e de uma mulher! O homem não teve nada a ver com Ele.

Se a primeira mulher que Deus criou foi suficientemente forte para, sozinha, virar o mundo de cabeça para baixo, então todas as mulheres, juntas, conseguirão mudar a situação e pôr novamente o mundo de cabeça para cima! E agora elas estão pedindo para fazer isto. É melhor que os homens não se metam. Obrigada por me ouvir e agora a velha Sojourner não tem muito mais coisas para dizer.

Esse discurso de Truth, ainda no século XIX, já evidenciava um grande dilema que o feminismo hegemônico viria a enfrentar: a universalização da categoria mulher. Esse debate de se perceber as várias possibilidades de ser mulher, ou seja, do feminismo abdicar da estrutura universal ao se falar de mulheres e levar em conta as outras intersecções, como raça, orientação sexual, identidade de gênero, foi atribuído mais fortemente à terceira onda do feminismo[4], sendo Judith Butler um dos grandes nomes.

Entretanto, o que percebemos com o discurso de Truth e com as histórias de resistências e produções de mulheres negras desde antes o período escravocrata, e consequentemente com a produção e atuação de feministas negras, é que esse debate já vinha sendo feito; o problema, então, seria a sua falta de visibilidade. Essa discussão já vem sendo feita desde a primeira onda, como nos mostra Truth[5], assim como na segunda onda, como podemos ver nas obras de feministas negras como bell hooks[6], Audre Lorde, entre outras, apesar de não serem caracterizadas por esse tipo de reivindicação pela perspectiva dominante.

Giovana Xavier, professora da Universidade Federal do Rio de Janeiro (UFRJ) e organizadora do grupo de estudos e catálogo *Intelectuais Negras Visíveis*, reivindica a prática feminista como sendo negra. Em seu artigo denominado "Feminismo: direitos autorais de uma prática linda e preta"[7], ela afirma:

> Nesse diálogo, que também se refere a protagonismo, capacidade de escuta e lugar de fala, façamo-nos as perguntas: Que histórias não são contadas? Quem, no Brasil e no mundo, são as pioneiras na autoria de projetos e na condução de experiências em nome da igualdade e da liberdade? De quem é a voz que foi reprimida para que a história única do feminismo virasse verdade? Na partilha desigual do nome e do como os direitos autorais ficam com as *Mulheres negras*, as grandes pioneiras na autoria de práticas feministas,

desde antes da travessia do Atlântico. Como herdeiras desse patrimônio ancestral, temos em mãos o compromisso de conferir visibilidade às histórias de glória e criatividade que carregamos. Esse *turning point* nas nossas narrativas relaciona-se com a principal pauta do feminismo negro: o ato de restituir humanidades negadas.

Truth, já em 1851, desafiava o modo pelo qual as representações do feminismo estavam sendo concebidas e, na prática, tentava restituir humanidades negadas, para citar Giovana Xavier. Truth também escreveu poemas, e em trecho de um desses, intitulado "On woman' dress poem"[8], ela diz:

> Quando vi mulheres no palco
> na Convenção Pelo Sufrágio da Mulher,
> no outro dia,
> Eu pensei,
> Que tipo de reformistas são vocês?,
> com asas de ganso em vossas cabeças,
> como se estivessem indo voar,
> e vestida de forma tão ridícula,
> falando de reforma e dos direitos das mulheres?
> É melhor vocês mesmas reformarem a si
> mesmas em primeiro lugar.
> Mas Sojourner é um velho corpo,
> e em breve vai sair deste mundo
> em outra,
> e vai dizer
> quando ela chegar lá,
> Senhor, eu fiz o meu dever,

> e eu disse toda a verdade
> ela não guardou nada.

Ao caçoar do chapéu com penas de ganso, Truth[9] enfatiza que se tratava de mulheres de classe social privilegiada, portanto, as que estavam na linha de frente do movimento pelo sufrágio feminino. Julgo muito interessante quando a poeta diz "é melhor vocês reformarem a si mesmas em primeiro lugar", porque essa estrofe aponta para uma possível cegueira dessas mulheres em relação às mulheres negras no que diz respeito à perpetuação do racismo e como naquele momento esse fato não era considerado relevante como pauta feminista por elas. Interessava, ali, a conquista de direitos para um grupo específico de mulheres, o que se perpetuou durante muito tempo, mesmo quando mulheres negras começaram a escrever sobre a invisibilidade da mulher negra como categoria política e a denunciar esse apagamento. O que a voz de Sojouner traz, além de inquietações e necessidade de existir, é evidenciar que as vozes esquecidas pelo feminismo hegemônico já falavam há muito tempo. A questão a ser formulada é: por que demoraram tanto a serem ouvidas?

A voz da ativista não traz somente uma disfonia em relação à história dominante do feminismo, mas também a urgência por existir e a importância de evidenciar que mulheres negras historicamente estavam produzindo insurgências contra o modelo dominante e promovendo disputas de narrativas.

Nesse sentido, pensar a partir de novas premissas é necessário para se desestabilizar verdades.

A pensadora e feminista negra Lélia Gonzalez nos dá uma perspectiva muito interessante sobre esse tema, porque criticava a hierarquização de saberes como produto da classificação racial da população. Ou seja, reconhecendo a equação: quem possuiu o privilégio social, possui o privilégio epistêmico, uma vez que o modelo valorizado e universal de ciência é branco. A consequência dessa hierarquização legitimou como superior a explicação epistemológica eurocêntrica, conferindo ao pensamento moderno ocidental a exclusividade do que seria conhecimento válido, estruturando-o como dominante e assim inviabilizando outras experiências do conhecimento. Segundo a autora, o racismo se constituiu "como a 'ciência' da superioridade eurocristã (branca e patriarcal)"[10]. Essa reflexão de Lélia Gonzalez nos dá uma pista sobre quem pode falar ou não, quais vozes são legitimadas e quais não são.

Lélia Gonzalez também refletiu sobre a ausência de mulheres negras e indígenas no feminismo hegemônico e criticou essa insistência das intelectuais e ativistas em somente reproduzirem um feminismo europeu, sem dar a devida importância à realidade dessas mulheres em países colonizados. A feminista negra reconhecia a importância do feminismo como teoria e prática no combate às desigualdades, no enfrentamento ao capitalismo patriarcal e na busca por novas formas de ser mulher. Entretanto,

Gonzalez afirmava que somente basear as análises no capitalismo patriarcal não dava conta de responder às situações de mulheres negras e indígenas da América Latina, pois, para a autora, faltava incluir outro tipo de discriminação tão grave quanto as outras citadas: a opressão de caráter racial.

Gonzalez evidenciou as diferentes trajetórias e estratégias de resistências dessas mulheres e defendeu um feminismo afrolatinoamericano, colocando em evidência o legado de luta, a partilha de caminhos de enfrentamento ao racismo e sexismo já percorridos. Assim, mais do que compartilhar experiências baseadas na escravidão, racismo e colonialismo, essas mulheres partilham processos de resistências.

A pensadora também confrontou o paradigma dominante e em muitos de seus textos utilizou uma linguagem sem obediência às regras da gramática normativa[11], dando visibilidade assim ao legado linguístico de povos que foram escravizados. Os trabalhos e obras de Gonzalez também têm como proposta a descolonização do conhecimento e a refutação de uma neutralidade epistemológica. Importante ressaltar o quanto é fundamental para muitas feministas negras e latinas a reflexão de como a linguagem dominante pode ser utilizada como forma de manutenção de poder, uma vez que exclui indivíduos que foram apartados das oportunidades de um sistema educacional justo. A linguagem, a depender da forma como é utilizada, pode ser uma barreira ao entendimento e estimular criar mais espaços de poder em vez de compartilhamento, além de ser um – entre tantos outros – impeditivo para uma educação transgressora[12].

Gonzalez refletiu sobre o modo pelo qual as pessoas que falavam "errado", dentro do que entendemos por norma culta, eram tratadas com desdém e condescendência e nomeou como "pretuguês" a valorização da linguagem falada pelos povos negros africanos escravizados no Brasil.

> É engraçado como eles [sociedade branca elitista] gozam a gente quando a gente diz que é Framengo. Chamam a gente de ignorante dizendo que a gente fala errado. E de repente ignoram que a presença desse r no lugar do l nada mais é do que a marca lingüística de um idioma africano, no qual o l inexiste. Afinal quem é o ignorante? Ao mesmo tempo acham o maior barato a fala dita brasileira que corta os erres dos infinitivos verbais, que condensa você em cê, o está em tá e por aí afora. Não sacam que tão falando pretuguês. (GONZALEZ, 1984, p. 238)

Lélia Gonzalez provoca e desestabiliza a epistemologia dominante, assim como Linda Alcoff. Em "Uma epistemologia para a próxima revolução", a filósofa panamenha critica a imposição de uma epistemologia universal que desconsidera o saber de parteiras, povos originários, a prática médica de povos colonizados, a escrita de si na primeira pessoa e que se constitui como legítima e com autoridade para protocolar o domínio do regime discursivo, analisando como

> É realístico acreditar que uma simples "epistemologia mestre" possa julgar todo tipo de conhecimento originado de diversas localizações culturais e sociais? As reivindicações de conhecimento universal sobre o saber precisam no mínimo de uma profunda reflexão sobre sua localização cultural e social. (ALCOFF, 2016, p. 131)

Alcoff reflete sobre a necessidade de se pensar outros saberes. Pensando num contexto brasileiro, o saber das mulheres de terreiro, das Ialorixás e Babalorixás, das mulheres do movimento de luta por creches, lideranças comunitárias, irmandades negras, movimentos sociais, outra cosmogonia a partir de referências provenientes de religiões de matriz africanas, outras geografias de razão e saberes. Seria preciso, então, desestabilizar e transcender a autorização discursiva branca, masculina cis e heteronormativa e debater como as identidades foram construídas nesses contextos.

Em "Intelectuais negras"[13], bell hooks fala sobre o quanto as mulheres negras foram construídas ligadas ao corpo e não ao pensar, em um contexto racista. A pensadora afirma que a combinação entre racismo e sexismo implica sermos vistas como intrusas por pessoas de mentalidade estreita. Para além disso, a própria conceituação ocidental branca do que seria uma intelectual faz com que esse caminho se torne mais difícil para mulheres negras. Ultrapassando essa fronteira, bell hooks se define como uma intelectual, aquela que une pensamento à prática, para entender sua realidade concreta. Pensamento e prática aqui não são realidades dicotômicas, ao contrário, são dialéticas, conversam entre si.

É muito comum feministas negras, como bell hooks, serem chamadas de "identitárias", assim como vemos no debate virtual pessoas dizerem coisas como "os movimentos identitários não discutem questão de classe", "violentos identitários" e por aí vai. Pessoas que se consideram progressistas se utilizando desse tipo de "crítica" para pessoas ligadas a movimentos negros, feministas, LGBT, certo? A autora que vos escreve conhece bem essa realidade.

Linda Alcoff, novamente, nos provê uma reflexão muito interessante sobre isso. A filósofa panamenha chama atenção para o fato de que, para descolonizarmos o conhecimento, precisamos nos ater à identidade social, não somente para evidenciar como o projeto de colonização tem criado essas identidades, mas para mostrar como certas identidades têm sido historicamente silenciadas e desautorizadas no sentido epistêmico, ao passo que outras são fortalecidas. Seguindo nesse pensamento, um projeto de descolonização epistemológica necessariamente precisaria pensar a importância da identidade, pois reflete o fato de que experiências em localizações são distintas e que a localização é importante para o conhecimento.

> Nossos argumentos poderão receber críticas de que mais uma vez estamos voltando à po-

lítica identitária, que somos metafisicamente não sofisticados e politicamente retrógrados, uma crítica que também tem sido brandida da metrópole para as periferias da academia global. A crítica da política identitária tem mantido muitos "escravos" da acusação de um essencialismo político grosseiro e de falta de sofisticação teórica. Acredito que a inclinação anti-identidade tão prevalente na teoria social hoje é outro obstáculo ao projeto de descolonização do conhecimento, uma vez que isso debilita nossa habilidade de articular o que está errado com a hegemonia teórica do Norte global. Além disso, muitas pessoas envolvidas em movimentos sociais por justiça têm aceitado a ideia de que a política identitária é algo diverso da luta de classes. Movimentos políticos baseados na identidade são por definição inclusivos em termos de classe, porém, mais do que isso, são vistos como sectários de uma agenda baseada em classes, como identidades propensas ao fetichismo, que apresentam identidades de um modo essencialista e a-histórico, obscurecendo o fato de as identidades serem produtos históricos e capazes de mudanças dinâmicas. Tais críticas à identidade são feitas pela direita, pelos liberais, pela esquerda, todos unidos na argumentação de que a política identitária fratura o corpo político, isto é, enfatiza as diferenças às custas das comunalidades e que seu foco sobre identidades só oferece uma política reducionista, que reduziria ou substituiria uma avaliação de uma visão política da pessoa por uma avaliação de sua identidade. Teóricos

> esquerdistas importantes – como Zizek e Badiou – têm recentemente se juntado àqueles que acreditam que, ao se propor a revolução social genuína, uma organização política baseada nas identidades deve ser minimizada. O problema que os teóricos esquerdistas apresentam em relação à política identitária, entretanto, não é somente em relação ao processo de como realizaremos a revolução, mas também sobre aquilo pelo que lutamos. Alguns imaginam que novas comunidades idealizadas darão muito menos ênfase a diferenças étnicas e raciais, diferenças que veem como resultantes inteiramente ou quase inteiramente de estruturas de opressão tais como o escravismo e o colonialismo. O colonialismo cria e reifica identidades como meio de administrar povos e estabelecer hierarquias entre eles. Por isso muitos acreditam que devemos postular como objetivo um futuro no qual as identidades criadas pelo colonialismo possam dissolver-se. (ALCOFF, 2016, p. 137)

Alcoff faz uma reflexão rica e sofisticada de como é preciso perceber como o colonialismo reifica as identidades e como não é possível fazer um debate amplo sobre um projeto de sociedade sem enfrentar o modo pelo qual certas identidades são criadas dentro da lógica colonial.

Acusar-nos de "aficionados por políticas identitárias" é um argumento falacioso, isto é, quando se quer como dado aquilo que se deseja provar, pois o objetivo principal ao confrontarmos a norma não é meramente falar de identidades, mas desvelar o uso que as instituições fazem das identidades para oprimir ou privilegiar. O que se quer com esse debate, fundamentalmente, é entender como poder e identidades funcionam juntos a depender de seus contextos e como o colonialismo, além de criar, deslegitima ou legitima certas identidades. Logo, não é uma política reducionista, mas atenta-se para o fato de que as desigualdades são criadas pelo modo como o poder articula essas identidades; são resultantes de uma estrutura de opressão que privilegia certos grupos em detrimentos de outros.

Essa insistência em não se perceberem como marcados, em discutir como as identidades foram forjadas no seio de sociedades coloniais, faz com que pessoas brancas, por exemplo, ainda insistam no argumento de que somente elas pensam na coletividade; que pessoas negras, ao reivindicarem suas existências e modos de fazer político e intelectuais, sejam vistas como separatistas ou pensando somente nelas mesmas. Ao persistirem na ideia de que são universais e falam por todos, insistem em falar pelos outros, quando, na verdade, estão falando de si ao se julgarem universais.

Agora vamos entender por que muitas feministas negras pensaram a categoria mulher negra. Essas reflexões vão nos ajudar a entender o conceito de *lugar de fala*.

MULHER NEGRA: O OUTRO DO OUTRO

Eu não estou indo embora
Vou ficar aqui
E resistir ao fogo.
Sojourner Truth[14]

Falar a partir das mulheres negras é uma premissa importante do feminismo negro, como nos ensina Patricia Hill Collins, sobre a necessidade dessas mulheres se autodefinirem, assim como fez Lélia Gonzalez ao evidenciar as experiências de mulheres negras na América Latina e Caribe. Existe um olhar colonizador sobre nossos corpos, saberes, produções e, para além de refutar esse olhar, é preciso que partamos de outros pontos. De modo geral, diz-se que a mulher não é pensada a partir de si, mas em comparação ao homem. É como se ela se pusesse se opondo, fosse o outro do homem, aquela que não é homem. A filósofa francesa Simone de Beauvoir nos dá uma perspectiva interessante ao cunhar a categoria do *Outro*, em *O segundo sexo*, de 1949, tomando como ponto de partida a dialética do senhor e do escravo de Hegel.

Segundo o diagnóstico de Beauvoir, a relação que os homens mantêm com as mulheres seria esta: da submissão e dominação, pois estariam enredadas na má-fé[15] dos homens que as veem e as querem como um objeto. A intelectual francesa mostra, em seu percurso filosófico sobre a categoria de gênero, que a mulher não é definida em si mesma, mas em relação ao homem e através do olhar do homem. Olhar este que a confina a um papel de submissão que comporta significações hierarquizadas.

Sob essa perspectiva, a filósofa funda a categoria do *Outro* beauvoiriano, explicando que essa categoria é tão antiga e comum que, segundo seu estudo, nas mais antigas mitologias e sociedades primitivas já se encontrava presente uma dualidade: a do *Mesmo* e a do *Outro*. Essa divisão não teria sido estabelecida inicialmente tendo como base a divisão dos sexos, pois a alteridade seria uma categoria fundamental do pensamento humano. Nenhuma coletividade, portanto, se definiria nunca como *Uma* sem colocar imediatamente a *Outra* diante de si. Por exemplo, para os habitantes de certa aldeia, todas as pessoas que não pertencem ao mesmo lugar são os *Outros*; para os cidadãos de um país, as pessoas de outra nacionalidade são consideradas estrangeiras.

> Os judeus são "outros" para o antissemita, os negros para os racistas norte-americanos, os indígenas para os colonos, os proletários para as classes dos proprietários. Ao fim de um estudo aprofundado das diversas figuras das sociedades primitivas, Lévi-Strauss pôde concluir: "A passagem do estado natural ao estado cultural define-se pela aptidão por parte do homem em pensar as relações biológicas sob a forma de sistemas de oposições: a dualidade, a alternância, a oposição e a simetria, que se apresentam sob formas definidas ou formas vagas, constituem menos fenômenos que cumpre explicar os dados fundamentais e imediatos da realidade social". Tais fenômenos não se compreenderiam se a realidade humana fosse exclusivamente um mitsein baseado na solidariedade e na amizade. Esclarece-se, ao contrário, se, segundo Hegel, descobre-se na própria consciência uma hostilidade fundamental em relação a qualquer outra consciência; o sujeito só se põe em se opondo: ele pretende afirmar-se como essencial e fazer do outro o inessencial, o objeto. (BEAUVOIR, 1980b, p. 11-12)

Para a filósofa francesa, a mulher foi constituída como o *Outro*, pois é vista como um objeto, na interpretação que Beauvoir faz do conceito do "em si" sartreano. De forma simples, seria pensar na mulher como algo que possui uma função. Uma cadeira, por exemplo, serve para que a gente possa sentar, uma caneta, para que possamos escrever. Seres humanos não deveriam ser pensados da mesma forma, pois isso seria destituir-lhes de humanidade. Mas esse olhar masculino, segundo a pensadora, coloca a mulher nesse lugar, impedindo-a de ser um "para si", sujeito em linguagem ontológica sartreana. E isso também se dá porque o mundo não é apresentado para as mulheres com todas as possibilidades, sua situação lhe impõe esse lugar de *Outro*.

Se para Simone de Beauvoir, a mulher é o *Outro* por não ter reciprocidade do olhar do homem, para Grada Kilomba[16] a mulher negra é o *Outro do Outro*, posição que a coloca num local de mais difícil reciprocidade.

> As mulheres negras foram assim postas em vários discursos que deturpam nossa própria realidade: um debate sobre o racismo onde o sujeito é homem negro; um discurso de gênero onde o sujeito é a mulher branca; e um discurso sobre a classe onde "raça" não tem lugar. Nós ocupamos um lugar muito crítico, em teoria. É por causa dessa falta ideológica, argumenta Heidi Safia Mirza (1997), que as mulheres negras habitam um espaço vazio, um espaço que se sobrepõe às margens da "raça" e do gênero, o chamado "terceiro espaço". Nós habitamos um tipo de vácuo de apagamento e contradição "sustentado pela polarização do mundo em um lado negro e de outro lado, de mulheres". (MIRZA, 1997:4) Nós no meio. Este é, é claro, um dilema teórico sério, em que os conceitos de

> "raça" e gênero se fundem estreitamente em um só. Tais narrativas separativas mantêm a invisibilidade das mulheres negras nos debates acadêmicos e políticos. (KILOMBA, 2012, p. 56)[17]

Para Kilomba, é necessário enfrentar essa falta, esse vácuo, que não enxerga a mulher negra numa categoria de análise. Kilomba sofistica a percepção sobre a categoria do *Outro*, quando afirma que mulheres negras, por serem nem brancas e nem homens, ocupam um lugar muito difícil na sociedade suprematista branca, uma espécie de carência dupla, a antítese de branquitude e masculinidade. Por esse ponto de vista, percebe o status das mulheres brancas como oscilantes, pois são mulheres, mas são brancas; do mesmo modo, faz a mesma análise em relação aos homens negros, pois esses são negros, mas homens. Mulheres negras, nessa perspectiva, não são nem brancas e nem homens, e exerceriam a função de *Outro do Outro*[18].

Percebemos, assim, que a pensadora discorda da categorização feita por Beauvoir. Para a filósofa francesa, não há reciprocidade, pois a mulher sempre é vista pelo olhar do homem num lugar de subordinação, como o outro absoluto, bem como essa afirmação de Beauvoir diz respeito a um modo de ser mulher, no caso, a mulher branca. Kilomba, além de aprofundar a análise, engloba a mulher negra em seu comparativo colocando que, nesse esquema, a mulher negra só pode ser o *Outro* e nunca si mesma. Para ela, existe um status oscilante que pode permitir que a mulher branca se coloque como sujeito, assim como o homem negro, entretanto a autora rejeita a fixidez desse status.

Além de mostrar que mulheres possuem situações diferentes, Kilomba rompe com a universalidade em relação aos homens também mostrando que a realidade dos homens negros não é a mesma da dos homens brancos, ou seja, evidencia que também em relação a esses é necessário fazer a pergunta: de quais homens estamos falando?[19]

É muito importante perceber que homens negros são vítimas do racismo e, inclusive, estão abaixo das mulheres brancas na pirâmide social. Trazer à tona essas identidades passa a ser uma questão prioritária. Em sua análise, ao não universalizar nem a categoria mulher e nem a homem, Kilomba cumpre esse papel.

Reconhecer o status de mulheres brancas e homens negros como oscilante nos possibilita enxergar as especificidades desses grupos e romper com a invisibilidade da realidade das mulheres negras. Por exemplo, ainda é muito comum a gente ouvir a seguinte afirmação: "mulheres ganham 30% a menos do que homens no Brasil", quando a discussão é desigualdade salarial. Essa afirmação está incorreta? Logicamente não, mas do ponto de vista ético, sim. Explico: mulheres brancas ganham 30% a menos do que homens brancos. Homens negros ganham menos do que mulheres brancas e mulheres negras ganham menos do que todos. Segundo pesquisa desenvolvida pelo Ministério do Trabalho e Previdência Social em parceria com o Instituto de Pesquisa Econômica Aplicada (IPEA)[20], de 2016, 39,6% das mulheres negras estão inseridas em relações precárias de trabalho, seguidas pelos homens negros (31,6%), mulheres brancas (26,9%) e homens brancos (20,6%). Ainda segundo a pesquisa, mulheres negras eram o maior contingente de pessoas desempregadas e no trabalho doméstico. Essa e outras pesquisas que pensam a partir dos lugares marcados dos grupos sociais conseguem estar mais próximas da realidade e gerar demandas para políticas públicas. Isso porque, quando ainda se insiste nessa visão homogênea de homens e mulheres, homens negros e mulheres negras ficam implícitos e acabam não sendo beneficiários de políticas importantes e, estando mais apartados ainda, de serem aqueles que pensam tais políticas.

Quando muitas vezes é apresentada a importância de se pensar políticas públicas para mulheres, comumente ouvimos que as políticas devem ser para todos. Mas quem são esses "todos", ou quantos cabem nesse "todos"? Se mulheres, sobretudo negras, estão num lugar de maior vulnerabilidade social justamente porque essa sociedade produz essas desigualdades, se não se olhar atentamente para elas, o avanço mais profundo fica impossibilitado. Melhorar o índice de desenvolvimento humano de grupos vulneráveis deveria ser entendido como melhorar o índice de desenvolvimento humano de uma cidade, de um país.

E, para tal, é preciso focar nessa realidade ou, como as feministas negras afirmam há muito: nomear. Se não se nomeia uma realidade, nem sequer serão pensadas melhorias para uma realidade que segue invisível. A insistência em falar de mulheres como universais, não marcando as diferenças existentes, faz com que somente parte desse ser mulher seja visto. Segundo o Mapa da Violência de 2015[21], aumentou em 54,8% o assassinato de mulheres negras, ao passo que o de mulheres brancas diminuiu em 9,6%. Esse aumento alarmante nos mostra a falta de um olhar étnico-racial no momento de se pensar políticas de enfrentamento à violência contra as mulheres, já que essas políticas não estão alcançando as mulheres negras. O "mulheres" aqui, atingiu, majoritariamente, mulheres brancas.

Para elucidar o argumento, vamos apresentar dados de uma importante pesquisa que serviu para dar visibilidade a uma realidade violenta que acometia e, infelizmente, ainda acomete mulheres negras no Brasil. Na década de 1980, mulheres negras eram esterilizadas forçadamente. Segundo pesquisa de Jurema Werneck[22], o movimento de mulheres negras é protagonista no combate ao genocídio da população negra e à usurpação da liberdade das mulheres, iniciando a luta sob a forma de denúncia. Essa luta resultou na criação da Comissão Parlamentar de Inquérito em 1991. A CPI da esterilização, como ficou conhecida, constatou que houve essa prática, seja na prestação inadequada dos serviços oferecidos pelas instituições privadas financiadoras de métodos contraceptivos, principalmente nas regiões mais pobres do país, seja nas medidas contraceptivas irreversíveis. Se as mulheres negras não tivessem denunciado essa realidade e lutado para que o debate sobre essa violência viesse à tona, provavelmente a questão seria ainda mais grave.

Tirar essas pautas da invisibilidade e analisá-las com um olhar interseccional mostra-se muito importante para que fujamos de análises simplistas ou para se romper com essa tentação de universalidade que exclui. A história tem nos mostrado que a invisibilidade mata, o que Foucault chama de "deixar viver ou deixar morrer". A reflexão fundamental a ser feita é perceber que, quando pessoas negras estão reivindicando o direito a ter voz, elas estão reivindicando o direito à própria vida.

Em *O segundo sexo*, Beauvoir argumenta sobre o fato de que, quando indivíduos são mantidos em situação de inferioridade, eles de fato são inferiores; ela nos alerta sobre como precisamos entender o alcance da palavra ser. Segundo a filósofa, o problema é dar um valor substancial à palavra ser quando ela tem o sentido dinâmico hegeliano. Ou seja, "ser é ter-se tornado, é ter sido tal qual se manifesta. Sim, as mulheres, em seu conjunto, são hoje inferiores aos homens, isto é, sua situação oferece-lhes possibilidades menores"[23].

Mulheres negras, por exemplo, estão em uma situação em que as possibilidades são ainda menores – materialidade! – e, sendo assim, nada mais ético do que pensar em saídas emancipatórias para isso, lutar para que elas possam ter direito a voz e melhores condições. Nesse sentido, seria urgente o deslocamento do pensamento hegemônico e a ressignificação das identidades, sejam elas de raça, de gênero ou de classe, para que se pudesse construir novos lugares de fala com o objetivo de possibilitar voz e visibilidade a sujeitos que foram considerados implícitos dentro dessa normatização hegemônica[24].

Ainda sobre a mulher negra, continua Kilomba, ser essa antítese de branquitude e masculinidade dificulta que ela seja vista como sujeito. O olhar tanto de homens brancos e negros, quanto de mulheres brancas, confinaria a mulher negra a um local de subalternidade muito mais difícil de ser ultrapassado. Collins também nos oferece uma visão interessante sobre esse lugar do *Outro* e a necessidade de mulheres negras se autodefinirem:

> A insistência de mulheres negras autodefinirem-se, autoavaliarem-se, e a necessidade de uma análise centrada na mulher negra é significativa por duas razões: em primeiro lugar, definir e valorizar a consciência do próprio ponto de vista autodefinido frente a imagens que promovem uma autodefinição sob a forma de "outro" objetificado é uma forma importante de se resistir à desumanização essencial aos sistemas de dominação. O status de ser o "outro" implica ser o outro em relação a algo ou ser diferente da norma pressuposta de comportamento masculino branco.

> Nesse modelo, homens brancos poderosos definem-se como sujeitos, os verdadeiros atores, e classificam as pessoas de cor e as mulheres em termos de sua posição em relação a esse eixo masculino branco. Como foi negada às mulheres negras a autoridade de desafiar essas definições, esse modelo consiste de imagens que definem as mulheres negras como um outro negativo, a antítese virtual da imagem positiva dos homens brancos. (COLLINS, 2016, p. 105)

Logo, definir-se é um status importante de fortalecimento e de demarcação de possibilidades de transcendência da norma colonizadora. Em "Aprendendo com o *outsider within*: a significação sociológica do pensamento feminista negro"[25], Patricia Hill Collins fala da importância das mulheres negras fazerem uso criativo do lugar de marginalidade que ocupam na sociedade a fim de desenvolverem teorias e pensamentos que reflitam diferentes olhares e perspectivas.

O conceito de *outsider within*, o qual em tradução livre seria algo como "forasteira de dentro", é muito importante para posteriormente entendermos lugares de fala. Para Collins, a mulher negra, dentro do movimento feminista ocupa esse lugar de "forasteira de dentro", por ser feminista, e pleitear o lugar da mulher negra como sujeito político, mas ao mesmo tempo ser "uma de fora" pela maneira como é vista e tratada dentro do seio do próprio movimento, a começar pelo modo pelo qual as reivindicações do movimento feminista foram feitas, crítica que também se estende quando falamos de teoria feminista.

A autora define *outsider within* como posição social ou espaços de fronteira ocupados por grupos com poder desigual. Na Academia, por exemplo, esse lugar permite às pesquisadoras negras constatarem, a partir de fatos de suas próprias experiências, anomalias materializadas na omissão ou observações distorcidas dos mesmos fatos sociais e, embora Collins se refira à Sociologia, pode-se pensar como prática política a ser desenvolvida em todas as áreas do conhecimento[26]. A estudiosa ainda argumenta que as mulheres negras, ao mesmo tempo que fazem parte de algumas instituições, não são consideradas como iguais, dando o exemplo das trabalhadoras domésticas[27] que trabalham em casas de família. Há a tentativa das pessoas brancas em dizer o quanto elas são importantes e "quase da família", ao mesmo tempo que elas ainda seguem ocupando um lugar de marginalidade.

Segundo Collins, por um lado, essa relação de *insider* tem sido satisfatória para todos os envolvidos. Ela cita como exemplos as biografias dos brancos ricos, nas quais é frequente o relato de seu amor por suas "mães" negras,

> [...] ao passo que os relatos das trabalhadoras domésticas negras ressaltam a percepção de autoafirmação vivenciada pelas trabalhadoras ao verem o poder branco sendo desmisti-

> ficado – saberem que não era o intelecto, o talento ou a humanidade de seus empregadores que justificava o seu status superior, mas sim o racismo. (COLLINS, 2016, p. 99)

Porém, Collins aponta como é preciso aprender a tirar proveito desse lugar de *outsider*, pois esse espaço proporciona às mulheres negras um ponto de vista especial por conseguirem enxergar a sociedade em um espectro mais amplo. Não à toa, ao pensar conceitos como interseccionalidade e perspectivas revolucionárias, essas mulheres se propuseram a pensar novas formas de sociabilidade, e não somente nas opressões estruturais de modo isolado. Seria como dizer que a mulher negra está num não lugar, mas mais além: consegue observar o quanto esse não lugar pode ser doloroso e igualmente atenta também no que pode ser um lugar de potência.

Sueli Carneiro, no artigo "Enegrecendo o feminismo: a situação da mulher negra na América Latina a partir de uma perspectiva de gênero"[28], nos mostra uma interessante perspectiva de entendimento sobre a categoria mulheres negras.

> Quando falamos do mito da fragilidade feminina, que justificou historicamente a proteção paternalista dos homens sobre as mulheres, de que mulheres estamos falando?
> Nós, mulheres negras, fazemos parte de um contingente de mulheres, provavelmente majoritário, que nunca reconheceram em

si mesmas esse mito, porque nunca fomos tratadas como frágeis. Fazemos parte de um contingente de mulheres que trabalharam durante séculos como escravas nas lavouras ou nas ruas, como vendedoras, quituteiras, prostitutas... Mulheres que não entenderam nada quando as feministas disseram que as mulheres deveriam ganhar as ruas e trabalhar. Fazemos parte de um contingente de mulheres com identidade de objeto. Ontem, a serviço de frágeis sinhazinhas e de senhores de engenho tarados.

São suficientemente conhecidas as condições históricas nas Américas que construíram a relação de coisificação dos negros em geral, e das mulheres negras em particular. Sabemos, também, que em todo esse contexto de conquista e dominação, a apropriação social das mulheres do grupo derrotado é um dos momentos emblemáticos de afirmação de superioridade do vencedor. Hoje, empregadas domésticas de mulheres liberadas e dondocas, ou de mulatas tipo exportação. Quando falamos em romper com o mito da rainha do lar, da musa idolatrada dos poetas, de que mulheres estamos falando? As mulheres negras fazem parte de um contingente de mulheres que não são rainhas de nada, que são retratadas como antimusas da sociedade brasileira, porque o modelo estético de mulher é a mulher branca. Quando falamos em garantir as mesmas oportunidades para homens e mulheres no mercado de trabalho, estamos garantindo emprego para que tipo de mulher? Fazemos parte de um contingente de mulheres para as quais os anúncios de emprego destacam a frase: "Exige-se boa aparência".

Quando falamos que a mulher é um subproduto do homem, posto que foi feita da costela de Adão, de que mulher estamos falando? Fazemos parte de um contingente de mulheres originárias de uma cultura que não tem Adão. Originárias de uma cultura violada, folclorizada e marginalizada, tratada como coisa primitiva, coisa do diabo, esse também um alienígena para a nossa cultura. Fazemos parte de um contingente de mulheres ignoradas pelo sistema de saúde na sua especialidade, porque o mito da democracia racial presente em todas nós torna desnecessário o registro da cor dos pacientes nos formulários da rede pública, informação que seria indispensável para avaliarmos as condições de saúde das mulheres negras no Brasil, pois sabemos, por dados de outros países, que as mulheres brancas e negras apresentam diferenças significativas em termos de saúde.

Portanto, para nós se impõe uma perspectiva feminista na qual o gênero seja uma variável teórica, mas, como afirmam Linda Alcoff e Elizabeth Potter, que não "pode ser separada de outros eixos de opressão" e que não "é possível em uma única análise. Se o feminismo deve liberar as mulheres, deve enfrentar virtualmente todas as formas de opressão". A partir desse ponto de vista, é possível afirmar que um feminismo negro, construído no contexto de sociedades multirraciais, pluriculturais e racistas – como são as sociedades latino-americanas – tem como principal eixo

> articulador o racismo e seu impacto sobre as relações de gênero, uma vez que ele determina a própria hierarquia de gênero em nossas sociedades. (CARNEIRO, 2003, p. 50-51)

Carneiro nos mostra que o racismo determina as hierarquias de gênero em nossa sociedade, sendo assim necessário que os movimentos feministas pensem maneiras de combater essa opressão, caso contrário também contribuirão para manter as relações entre as mulheres hierarquizadas, reproduzindo o discurso hegemônico. A análise da estudiosa ainda nos permite perceber a necessidade de uma identidade reivindicada de mulher negra que se constitui como sujeito histórico e político. Porém, é fundamental atentarmos para as heterogeneidades que circundam essa categoria, para que não pensemos nessa categoria de modo fixo e estável.

Uma característica interessante de muitas feministas negras é que elas não se restringem a se pensar somente como teóricas, mas como ativistas, militantes. Feminismo negro, segundo Sebastião[29], seria um movimento político, intelectual e de construção teórica de mulheres negras que estão envolvidas no combate às desigualdades para promover uma mudança social de fato; não seriam mulheres preocupadas somente com as opressões que lhes atingem, mulheres negras estariam discutindo e disputando projetos[30].

Audre Lorde, feminista negra caribenha e lésbica, também nos traz uma visão importante sobre a necessidade de lidarmos com as diferenças que nos circundam. Em muitos de seus escritos, Lorde ressaltou a importância de não se hierarquizar opressões e sua própria dificuldade de se sentir pertencente a algum movimento, posto que no movimento feminista dizia-se que a questão era de gênero; no movimento negro, racial; e no LGBT, de orientação sexual. Como mulher, negra e lésbica, ela se via obrigada a escolher contra qual opressão lutar, sendo que todas a colocavam em um determinado lugar. A autora dizia que não podia negar uma identidade para afirmar outra, pois fazer isso não seria transformação real, e sim reformismo, assim como Sojourner Truth apontava no século XIX. Lorde enfatiza a importância de se ampliar o olhar e nos instiga a fazer o questionamento: até que ponto se legitima o poder que se condena?

Em "As ferramentas do mestre não vão desmantelar a casa grande"[31], Lorde traz um olhar crítico e fundamental para se pensar as intersecções e, como a própria autora enfatizava, "matar a parte do opressor em nós". A feminista negra, que também era poeta, fez esse discurso em 1979, na New York University, afirmando como fundamental a responsabilização das mulheres brancas para combaterem o reformismo e se engajarem na luta por uma transformação profunda da sociedade.

Audre Lorde nos instiga a pensar na necessidade de reconhecermos nossas diferenças e não mais vê-las como algo negativo. O problema seria quando as diferenças significam desigualdades. O não reconhecimento de que partimos de lugares diferentes, posto que experenciamos gênero de modo diferente, leva à legitimação de um discurso excludente, pois não visibiliza outras formas de ser mulher no mundo. Essa atenção ao que a autora chama de evasão de responsabilidade das mulheres brancas, por não se comprometerem com a mudança, pode ser entendida como uma falta de postura ética em pensar o mundo a partir de seus lugares. O fato de não demarcarem esses lugares e seguirem ignorando que existem pontos de partidas diferentes entre mulheres faz essas mulheres brancas continuarem ignorando a tarefa de se questionarem e, consequentemente, continuarem a reproduzir opressões contra mulheres negras ou contra, como Lorde chama no texto, "aquelas que não são aceitáveis". Essas, de seus lugares sociais, sabem que "sobreviver não é uma habilidade acadêmica".

Tudo bem até aqui? Então agora vamos aprofundar o que seria *lugar de fala*.

O QUE É LUGAR DE FALA?

Por que eu escrevo?
Por que tenho que
Porque minha voz
em todas suas dialéticas
foi silenciada por muito tempo
Jacob Sam-La Rose[32]

Todos os caminhos percorridos até aqui foram importantes para que pudéssemos ter um maior entendimento do que é lugar de fala. O lugar social que as mulheres negras ocupam e o modo pelo qual é possível tirar proveito disso nos apresenta uma trilha interessante. Esse percurso foi necessário porque existem muitas dúvidas em relação ao conceito.

Antes de mais nada, é preciso esclarecer que quando utilizarmos a palavra discurso[33] no decorrer do livro e falamos da importância de se interromper o regime de autorização discursiva, estamos nos referindo à noção foucaultiana de discurso. Ou seja, de não pensar discurso como amontoado de palavras ou concatenação de frases que pretendem um significado em si, mas como um sistema que estrutura determinado imaginário social, pois estaremos falando de poder e controle.

Acredito que muitas pessoas ligadas a movimentos sociais, em discussões nas redes sociais, já devem ter ouvido a seguinte frase "fique quieto, esse não é seu lugar de fala", ou já devem ter lido textos criticando a teoria sem base alguma, com o único intuito de criar polêmica vazia. Não se trata aqui de diminuir a militância feita no mundo virtual, ao contrário, mas de ilustrar o quanto muitas vezes há um esvaziamento de conceitos importantes por conta dessa urgência que as redes geram. Ou porque grupos que sempre estiveram no poder passam a se incomodar com o avanço de discursos de grupos minoritários em termos de direitos. Antes de chegarmos a autoras como Grada Kilomba, Patricia Hill Collins, Linda Alcoff e Gayatri Spivak, vamos abordar esse conceito por outras perspectivas. Não é a ênfase que pretendemos aqui, mas julgamos importante apresentar aos leitores e leitoras outras visões para enriquecimento conceitual.

Em Comunicação, o conceito de lugares de fala, segundo o artigo "Lugares de fala: um conceito para abordar o segmento popular da grande imprensa"[34], seria um

> [...] instrumento teórico – metodológico que cria um ambiente explicativo para evidenciar que os jornais populares ou de referência falam de lugares diferentes e concedem espaços diversos à falas das fontes e dos leitores. (AMARAL, 2005, p. 105)

Ainda segundo o artigo[35],

> [...] o aporte que propomos reconhece as implicações das posições sociais simbólicas do jornal e do leitor e incorpora a noção de mercado de leitores, a partir da ideia de que, para explicar o discurso, é preciso conhecer as condições de constituição do grupo no qual ele funciona. (AMARAL, 2005, p. 104)

Nesse sentido dado pela Comunicação, o conceito serviria para analisar que o lugar de fala da imprensa popular seria diferente do lugar de fala do que eles chamam de jornais de referência e, nesse artigo especificamente, mostra-se que esse lugar da imprensa popular vai além do sensacionalismo. Para a autora é necessário compreender as posições sociais e os capitais simbólicos de modos distintos.

> [...] no lugar do sensacionalismo, rótulo que nos indica a intensidade de sensações geradas por estratégias como invenções, exageros, distorções e omissões, lugar de fala busca explicar por que a imprensa dirigida a esse público opera com Modos de Endereçamento distin-

> tos dos usados na imprensa de referência e
> constrói sua credibilidade de outras manei-
> ras. Do nosso ponto de vista, o lugar de onde
> fala o segmento popular da grande imprensa
> é diferente do lugar de onde fala o segmento
> de referência. (AMARAL, 2005, p. 104)

Percebemos, então, a tentativa de analisar discursos diversos a partir da localização de grupos distintos, e mais: a partir das condições de construção do grupo no qual funciona, existiria uma quebra de uma visão dominante e uma tentativa de caracterizar o lugar de fala da imprensa popular de novas formas. Interessante notar as similaridades com o que iremos focar.

Para além dessa conceituação dada pela Comunicação, é preciso dizer que não há uma epistemologia determinada sobre o termo lugar de fala especificamente, ou melhor, a origem do termo é imprecisa. Acreditamos que este surge a partir da tradição de discussão sobre *feminist standpoint* – em uma tradução literal "ponto de vista feminista" – diversidade, teoria racial crítica e pensamento decolonial. As reflexões e trabalhos gerados nessas perspectivas, consequentemente, foram sendo moldados no seio dos movimentos sociais, muito marcadamente no debate virtual, como forma de ferramenta política e com o intuito de se colocar contra uma autorização discursiva. Porém, é extremamente possível pensá-lo a partir de certas referências que vêm questionando quem pode falar.

Há estudiosos que pensam lugar de fala a partir da Psicanálise, analisando obras de Michel Foucault, de estudos de Linda Alcoff, filósofa panamenha, e de Gayatri Spivak, professora indiana, como em "Uma epistemologia para a próxima revolução" e *Pode o subalterno falar?*, respectivamente. Aqui, pretendemos pensar a partir dessas autoras e, principalmente, de Patricia Hill Collins, a partir do *feminist standpoint* e Grada Kilomba, em *Plantations Memories: Episodes of Everyday Racism*.

Patricia Hill Collins é um nome importante para nos aprofundarmos na questão aqui proposta. Em 1990, na obra "Pensamento do feminismo negro"[36], ela argumenta sobre o *feminist standpoint*. Segundo o "Dossiê Mulheres negras: retrato das condições de vida das mulheres negras no Brasil", publicado pelo Instituto de Pesquisa Econômica Aplicada (IPEA) em 2013,

> O foco do feminismo negro é salientar a diversidade de experiências tanto de mulheres quanto de homens e os diferentes pontos de vista possíveis de análise de um fenômeno, bem como marcar o lugar de fala de quem a propõe. Patricia Hill Collins é uma das principais autoras do que é denominado de *feminist standpoint*. Em sua análise, Collins (1990) lança mão do conceito de matriz de dominação para pensar a intersecção das desigualdades, na qual a mesma pessoa pode se encontrar em diferentes posições, a depender de suas características. Assim, o elemento representativo das experiências das diferentes formas de ser mulher estaria assentado no

> entrecruzamento entre gênero, raça, classe, geração, sem predominância de algum elemento sobre outro. (SOTERO, 2013, p. 36)

Nossa hipótese é a de que, a partir da teoria do ponto de vista feminista, é possível falar de lugar de fala. Ao reivindicar os diferentes pontos de análises e a afirmação de que um dos objetivos do feminismo negro é marcar o lugar de fala de quem o propõe, percebemos que essa marcação se torna necessária para entendermos realidades que foram consideradas implícitas dentro da normatização hegemônica.

No artigo "Comentário sobre o artigo de Hekman 'Truth and Method: Feminist Standpoint Theory Revisited': Onde está o poder?"[37], Collins contesta críticas à teoria do ponto de vista feminista que resultam em pensarmos em lugares de fala. Neste, a autora rebate as afirmações de Hekmam que versam sobre a perspectiva de que a teoria do ponto de vista feminista refere-se a indivíduos, dizendo:

> Em primeiro lugar, o *standpoint theory* refere-se a experiências historicamente compartilhadas e baseadas em grupos. Grupos têm um grau de continuidade ao longo do tempo de tal modo que as realidades de grupo transcendem as experiências individuais. Por exemplo, afro-americanos, como um grupo racial estigmatizado existiu muito antes de eu nascer e irá, provavelmente, continuar depois de minha morte. Embora minha experiência

> individual com o racismo institucional seja única, os tipos de oportunidades e constrangimentos que me atravessam diariamente serão semelhantes com os que afro-americanos confrontam-se como um grupo. Argumentar que os negros, como grupo, irão se transformar ou desaparecer baseada na minha participação soa narcisista, egocêntrico e arquetipicamente pós-moderno. Em contraste, a teoria do ponto de vista feminista enfatiza menos as experiências individuais dentro de grupos socialmente construídos do que as condições sociais que constituem estes grupos. (COLLINS, 1997, p. 9)

Como explica Collins, quando falamos de pontos de partida, não estamos falando de experiências de indivíduos necessariamente, mas das condições sociais que permitem ou não que esses grupos acessem lugares de cidadania. Seria, principalmente, um debate estrutural. Não se trataria de afirmar as experiências individuais, mas de entender como o lugar social ocupado por certos grupos restringe oportunidades.

Ao ter como objetivo a diversidade de experiências, há a consequente quebra de uma visão universal. Uma mulher negra terá experiências distintas de uma mulher branca por conta de sua localização social, vai experenciar gênero de uma outra forma.

Segundo Collins, a teoria do ponto de vista feminista precisa ser discutida a partir da localização dos grupos nas relações de poder. Seria preciso entender as categorias de raça, gênero, classe e sexualidade como elementos da estrutura social que emergem como dispositivos fundamentais que favorecem as desigualdades e criam grupos em vez de pensar essas categorias como descritivas da identidade aplicada aos indivíduos[38]. Hekman, em sua crítica a Collins, entendeu a teoria como uma multidão de vozes a partir das experiências dos indivíduos em vez de analisar as categorias que causam as desigualdades em que esses indivíduos se encontram. Collins utiliza como exemplo a segregação racial nos Estados Unidos e como esse fato histórico criou bairros segregados e, consequentemente, experiências distintas nos ambientes educacionais, de lazer, no sistema de saúde e, sobretudo, em relação às oportunidades de acesso a alguns espaços, como a Academia. A autora segue em sua análise afirmando que mesmo as pessoas negras de classe média não estão isentas dos efeitos da discriminação de oportunidades geradas pela segregação racial e, por conseguinte, pela discriminação de grupo, e evidencia:

> [...] é a localização social comum nas relações hierárquicas de poder que cria grupos e não o resultado de decisões coletivas tomadas por indivíduos desses grupos. (COLLINS, 1997)

A abordagem escolhida por Hekman de entender grupos como amontoado de indivíduos e "não como individualidades em sua própria realidade"[39], faz com que a autora tenha construído sua crítica de forma equivocada, segundo Collins.

Hekman analisa ponto de vista e lugar de fala pela perspectiva individual. Esse pressuposto permite que ela conflua indivíduo e grupo como unidades de análise e não alcance a reflexão de que indivíduos pertencentes a determinados grupos partilhem experiências similares. O fato de Hekman se fixar no indivíduo como representante para o grupo prejudica seu entendimento.

> Inicialmente examinando apenas a dimensão das relações de poder, de classe social, Marx postulava que, por mais desarticulados e incipientes, os grupos oprimidos possuíam um ponto de vista particular sobre as desigualdades. Em versões mais contemporâneas, a desigualdade foi revisada para refletir um maior grau de complexidade, especialmente de raça e gênero. O que temos agora é uma crescente sofisticação sobre como discutir localização de grupo, não no quadro singular de classe social proposto por Marx, nem nos mais recentes enquadramentos feministas que defendem a primazia de gênero, mas dentro de construções múltiplas residentes nas próprias estruturas sociais e não em mulheres individuais. (COLLINS, 1997, p. 9)

Com a citação de Collins ao equívoco de Hekman, percebemos que a pensadora não está sozinha em seu erro. No Brasil, comumente ouvimos esse tipo de crítica em relação ao conceito, porque os críticos partem de indivíduos e não das múltiplas condições que resultam nas desigualdades e hierarquias que localizam grupos subalternizados. As experiências desses grupos localizados socialmente de forma hierarquizada e não humanizada faz com que as produções intelectuais, saberes e vozes sejam tratados de modo igualmente subalternizados, além das condições sociais os manterem num lugar silenciado estruturalmente. Isso, de forma alguma, significa que esses grupos não criam ferramentas para enfrentar esses silêncios institucionais, ao contrário, existem várias formas de organização políticas, culturais e intelectuais. A questão é que essas condições sociais dificultam a visibilidade e a legitimidade dessas produções. Uma simples pergunta que nos ajuda a refletir é: quantas autoras e autores negros o leitor e a leitora, que cursaram a faculdade, leram ou tiveram acesso durante o período da graduação? Quantas professoras ou professores negros tiveram? Quantos jornalistas negros, de ambos os sexos, existem nas principais redações do país, ou até mesmo nas mídias ditas alternativas?

Essas experiências comuns resultantes do lugar social que ocupam impedem que a população negra acesse certos espaços. É aí que entendemos que é possível falar de lugar de fala a partir do *feminist standpoint*: não poder acessar certos espaços acarreta a não existência de produções e epistemologias desses grupos nesses espaços; não poder estar de forma justa nas universidades, meios de comunicação, política institucional, por exemplo, impossibilita que as vozes dos indivíduos desses grupos sejam catalogadas, ouvidas, inclusive, até em relação a quem tem mais acesso à internet. O falar não se restringe ao ato de emitir palavras, mas a poder existir. Pensamos lugar de fala como refutar a historiografia tradicional e a hierarquização de saberes consequente da hierarquia social.

Quando falamos de direito à existência digna, à voz, estamos falando de locus social, de como esse lugar imposto dificulta a possibilidade de transcendência. Absolutamente não tem a ver com uma visão essencialista de que somente o negro pode falar sobre racismo, por exemplo.

E, mesmo sobre indivíduos do mesmo grupo, Collins salienta que ocupar localização comum em relações de poder hierárquicas não implica em se ter as mesmas experiências, porque a autora não nega a dimensão individual. Todavia, aponta para o fato de que justamente por ocuparem a mesma localização social, esses indivíduos igualmente compartilham experiências nessas relações de poder. E seriam essas experiências comuns aos objetos de análise. Collins lamenta o fato de os críticos à teoria terem dado muita atenção às questões de ação individual em vez de investigarem as experiências comuns. Como exemplo, a autora cita as altas taxas de encarceramento de homens negros nas prisões americanas.

Também podemos citar essa realidade, no contexto brasileiro, o alto índice de feminicídio de mulheres negras, a constatação de que as mulheres negras ainda são maioria no trabalho doméstico e terceirizado e tantos outros exemplos. O fato de ocuparem lugares de maior vulnerabilidade faz com que certas medidas consideradas retrógradas atinjam esses grupos de maneira mais acintosa. A Reforma da Previdência, que caminha no Congresso sob a forma da Proposta de Emenda Constitucional número 287, prevê aumentar o tempo de contribuição para 25 anos e a idade mínima para 65 anos para as mulheres.

Essa medida não leva em consideração a divisão sexual do trabalho imposta em nossa sociedade. Vale dizer, pois mulheres ainda são aquelas moldadas para desempenhar o trabalho doméstico e obrigadas a serem as maiores responsáveis pela criação dos filhos. Mulheres, sobretudo, negras, partem de pontos diferentes e consequentemente desiguais.

Houve uma manifestação, por parte de vários setores da sociedade, contra essa proposta, mas, para contextualizar, de forma geral, mulheres negras, antes da proposição dessa PEC, já tinham dificuldades em se aposentar. Por conta da informalidade de uma relação descontínua no mercado de trabalho e, no caso das empregadas domésticas, de não terem seus direitos garantidos. Esse grupo historicamente sempre se viu à margem. Para se ter uma ideia, de 2003 a 2014, segundos dados da Pesquisa Nacional por Amostra de Domicílios Contínua (PNAD), do Instituto Brasileiro de Geografia e Estatística (IBGE), o contingente de empregadas domésticas sem carteira assinada que contribuíam para o INSS aumentou de 8% para 23% no período. Ainda assim, a categoria tem dificuldade em se aposentar por tempo de contribuição, pois o setor é marcado por grande informalidade. No último trimestre de 2016, 68,1% das trabalhadoras domésticas não possuíam carteira assinada. O mesmo raciocínio se aplica ao trabalho terceirizado para atividades meio. Existe um grande contingente de mulheres negras nessa relação de trabalho, sobretudo em funções de limpeza. As medidas contidas nessa proposta vão dificultar ainda mais a vida dessas mulheres, que já viviam uma realidade precária.

Contudo, quando eram os grupos "historicamente invisibilizados" os atingidos, essas medidas não geravam comoção como têm gerado agora que passaram a "contemplar" outros grupos, como a classe média branca brasileira, por exemplo. Do mesmo modo, podemos apontar para a invisibilidade da produção de mulheres negras em cursos e faculdades, como colunistas de jornais e sites, em cargos da política institucional. Essas experiências compartilhadas refletem ainda a relevância da teoria.

No debate virtual, aqui no Brasil, nos acostumamos a ouvir os mesmos equívocos de Hekman. "Fulana está falando a partir das vivências dela", como se essas vivências, por mais que contenham experiências advindas da localização social de fulana, se mostrassem insuficientes para explicar uma série de questões. Como defende Collins, a experiência de fulana importa, sem dúvida, mas o foco é justamente tentar entender as condições sociais que constituem o grupo do qual fulana faz parte e quais são as experiências que essa pessoa compartilha como grupo. Reduzir a teoria do ponto de vista feminista e lugar de fala somente às vivências seria um grande erro, pois aqui existe um estudo sobre como as opressões estruturais impedem que indivíduos de certos grupos tenham direito a fala, à humanidade. O fato de uma pessoa ser negra não significa que ela saberá refletir crítica e filosoficamente sobre as consequências do racismo.

Inclusive, ela até poderá dizer que nunca sentiu racismo, que sua vivência não comporta ou que ela nunca passou por isso. E sabemos o quanto alguns grupos adoram fazer uso dessas pessoas. Mas o fato dessa pessoa dizer que não sentiu racismo não faz com que, por conta de sua localização social, ela não tenha tido menos oportunidades e direitos. A discussão é sobretudo estrutural e não "pós-moderna", como os acusadores dessa teoria gostam de afirmar. O ponto é que eles entenderam equivocadamente a questão e acabam agindo, como afirma Collins, de modo arquetipicamente pós-moderno ao reduzir o conceito às experiências individuais, em vez de refletirem sobre *locus* social.

Por isso, seria igualmente um equívoco dizer que essa teoria perde validade diante da existência de indivíduos reacionários pertencentes a grupos oprimidos.

E assim seria porque Collins não está negando a perspectiva individual, mas dando ênfase ao lugar social que ocupam a partir da matriz de dominação. Por mais que sujeitos negros sejam reacionários, por exemplo, eles não deixam de sofrer com a opressão racista – o mesmo exemplo vale para outros grupos subalternizados. O contrário também é verdadeiro: por mais que pessoas pertencentes a grupos privilegiados sejam conscientes e combatam arduamente as opressões, elas não deixarão de ser beneficiadas, estruturalmente falando, pelas opressões que infligem a outros grupos. O que estamos questionando é a legitimidade que é conferida a quem pertence ao grupo localizado no poder.

Obviamente que esses indivíduos reacionários pertencentes a grupos oprimidos estão legitimando opressões ao proferirem certos discursos. Seria, então, necessário o combate a esses discursos, sem sombra de dúvida. Porém, o que ocorre, geralmente, é a tentativa de deslegitimar a luta antirracista, antimachista ou anti-LGBTfóbica, ou a própria teoria do ponto de vista feminista ou lugar de fala, com base na existência de indivíduos como esses, como se homens brancos heterossexuais não fossem o grupo responsável e beneficiado por essas opressões. E, principalmente, porque há a tentativa de mudar o foco de realidades extremamente violentas para a constatação de que pessoas de grupos oprimidos são pessoas frutos dessa sociedade, assim como todas as outras. Seria mais responsável e ético discutir o fato de que a cada 23 minutos um jovem negro é assassinado no Brasil, o que mostra que indivíduos negros compartilham experiências de violência estatal pelo fato de pertencerem ao grupo negro (*locus* social) do que perder energia em falar das experiências individuais distintas, como se isso não fosse próprio do humano. Acredito que nem todas as pessoas brancas se identifiquem entre si e tenham as mesmas visões, mas existe uma cobrança maior em relação aos indivíduos pertencentes a grupos historicamente discriminados, como se fossem mais obrigados do que os grupos localizados no poder de criar estratégias de enfrentamento às desigualdades.

O lugar social não determina uma consciência discursiva sobre esse lugar. Porém, o lugar que ocupamos socialmente nos faz ter experiências distintas e outras perspectivas. A teoria do ponto de vista feminista e lugar de fala nos faz refutar uma visão universal de mulher e de negritude, e outras identidades, assim como faz com que homens brancos, que se pensam universais, se racializem, entendam o que significa ser branco como metáfora do poder, como nos ensina Kilomba. Com isso, pretende-se também refutar uma pretensa universalidade. Ao promover uma multiplicidade de vozes o que se quer, acima de tudo, é quebrar com o discurso autorizado e único, que se pretende universal. Busca-se aqui, sobretudo, lutar para romper com o regime de autorização discursiva.

Luiza Bairros, em "Nossos feminismos revisitados"[40], explica a importância da teoria do *feminist standpoint*:

> A outra tentativa mais recente de transformar as categorias mulher experiência e política pessoal é o ponto de vista feminista (*feminist standpoint*). Segundo essa teoria, a experiência da opressão sexista é dada pela posição que ocupamos numa matriz de dominação onde raça gênero e classe social interceptam-se em diferentes pontos. Assim uma mulher negra trabalhadora não é triplamente oprimida ou mais oprimida do que uma mulher branca na mesma classe social, mas experimenta a opressão a partir de um lugar que proporciona um ponto de vista diferente sobre o que é ser mulher numa sociedade desigual racista e sexista. Raça, gênero, classe social e orientação sexual reconfiguram-se mutuamente formando o que Grant chama de um mosaico que só pode ser entendido em sua multidimensionalidade. De acordo com o ponto de vista feminista, portanto, não existe uma identidade, pois a experiência de ser mulher se dá de forma social e historicamente determinadas. Considero essa formulação particularmente importante não apenas pelo que ela nos ajuda a entender diferentes feminismos, mas pelo que ela permite pensar em termos dos movimentos negro e de mulheres negras no Brasil. Este seria fruto da necessidade de dar expressão a diferentes formas da experiência de ser negro (vivida através do gê-

> nero) e de ser mulher (vivida através da raça) o que torna supérfluas discussões a respeito de qual seria a prioridade do movimento de mulheres negras: luta contra o sexismo ou contra o racismo? – já que as duas dimensões não podem ser separadas. Do ponto de vista da reflexão e da ação politicas uma não existe sem a outra. (BAIRROS, 1995, p. 461)

Essa explicação de Bairros é valiosa porque nos ajuda a refutar o que costumam chamar de "competição de opressões". A autora nos ensina que o debate é sobre a posição ocupada por cada grupo, entendendo o quanto raça, gênero, classe e sexualidade se entrecruzam gerando formas diferentes de experenciar opressões. Justamente por isso não pode haver hierarquia de opressões, pois sendo estruturais, não existe "preferência de luta". É preciso pensar ações políticas e teorias que deem conta de considerar que não pode haver prioridades, já que essas dimensões não podem ser pensadas de forma separada.

Costumo brincar que não posso dizer que luto contra o racismo e amanhã, às 14h25 e, se der tempo, eu luto contra o machismo, pois essas opressões agem de forma combinada. Sendo eu mulher e negra, essas opressões me colocam em um lugar maior de vulnerabilidade. Portanto, é preciso combatê-las de forma indissociável.

Ressalto que Collins não fala especificamente sobre lugar de fala, apesar de algumas traduções para o português darem este significado quando traduzem o termo *standpoint*, mas a nossa hipótese é a de que, a partir da teoria do ponto de vista feminista, podemos entender também o lugar da fala[41]. A partir de Spivak, Alcoff e Kilomba vamos nos aprofundar ainda mais sobre o conceito.

Spivak é uma das autoras importantes para se pensar lugar de fala. Sua obra *Pode o subalterno falar?*, publicada pela primeira vez em 1985, originalmente como um artigo, com o subtítulo "Especulações sobre os sacrifícios das viúvas", traz reflexões importantes sobre como o silêncio é imposto a sujeitos que foram colonizados. A professora indiana é um importante nome do pensamento pós-colonial, que, resumidamente, pretende questionar e interrogar os fundamentos da epistemologia dominante e evidenciar os saberes produzidos por grupos que foram subalternizados em territórios coloniais. Spivak, assim como Beauvoir e Kilomba, também pensa a categoria do *Outro* afirmando a dificuldade dos intelectuais franceses contemporâneos em pensar esse *Outro* como sujeito, pois, para a autora, estes pensariam a constituição do Sujeito como sendo a Europa[42].

A intelectual problematiza o fato, mesmo sendo uma grande interlocutora de Foucault[43], de que autores como Foucault e Deleuze, por exemplo, não rompem totalmente com o discurso hegemônico ao terem a Europa como centro de análise.

> É impossível para os intelectuais franceses contemporâneos imaginar o tipo de Poder e

> Desejo que habitaria o sujeito inominado do Outro da Europa. Não é apenas o fato de que tudo o que leem – crítico ou não – esteja aprisionado no debate sobre a produção desse Outro, apoiando ou criticando a constituição do Sujeito como sendo a Europa. (SPIVAK, 2010, p. 45-46)

Spivak concorda com Foucault no que diz respeito a pensar a existência de um sistema de poder que inviabiliza, impede e invalida saberes produzidos por grupos subalternizados. Foucault afirmava que as massas podiam falar por si, mas entendia que existia uma interdição para que essas vozes pudessem ser ouvidas. O filósofo francês acreditava que o papel do intelectual era analisar as relações de poder entendendo que seu papel não era ser representante daqueles que lutavam. Spivak pensadora acredita que os grupos oprimidos podem e devem falar por si, mas afirma que o filósofo francês pensou esses grupos tendo como base o contexto europeu, citando, para elucidar seu argumento, o caso das viúvas indianas que são obrigadas ao sacrifício, um ritual chamado "imolação" e que estariam num lugar muito mais difícil de poderem falarem por si mesmas. Além disso, para a autora indiana, os intelectuais, por não serem esses sujeitos oprimidos

> [...] tornam-se transparentes nessa "corrida de revezamento", pois eles simplesmente fazem uma declaração sobre o sujeito não re-

> presentado e analisam o funcionamento do
> poder e desejo. (SPIVAK, 2010, p. 44)

Mas, quem poderia falar, então?

> O subalterno não pode falar. Não há valor
> algum atribuído à "mulher-negra, pobre"
> como um item respeitoso na lista de prioridade globais. A representação não definhou. A
> mulher como uma intelectual tem uma tarefa
> circunscrita que ela não deve rejeitar com um
> floreio. (SPIVAK, 2010, p. 126)

Essa citação de Spivak nos ensina sobre como grupos subalternos não têm direito a voz, por estarem num lugar no qual suas humanidades não foram reconhecidas. Por pertencerem à categoria "daqueles que não importam"[44], para usar uma expressão da filósofa estadunidense Judith Butler. Mas, ao mesmo tempo, Spivak enxerga a necessidade da tarefa intelectual e política para a mulher. Para a autora, o postulado subalterno evidencia um lugar silenciado.

No entanto, será que o subalterno nunca rompe o silêncio? Tanto Patricia Hill Collins quanto Grada Kilomba consideram problemática essa afirmação de Spivak do silêncio do subalterno se esta for vista como uma declaração absoluta. Para as duas pensadoras, pensar esse lugar como impossível de transcender é legitimar a norma colonizadora, pois atribuiria poder absoluto ao discurso dominante branco e masculino. Collins acredita que validar esse discurso como absoluto significaria também acreditar que grupos oprimidos só podem se identificar com o discurso dominante e nunca serem capazes de pensar as próprias condições de opressão a que são submetidos. Igualmente significaria a impossibilidade de pensar alguma interpretação válida independente que refute o discurso colonial.

No capítulo anterior, trabalhamos com a ideia de Collins da importância das mulheres negras se autodefinirem. Essa necessidade de autodefinição é uma estratégia importante de enfrentamento a essa visão colonial. E, como apresentamos no primeiro capítulo deste livro, mulheres negras vêm historicamente produzindo saberes e insurgências. Colocá-las num lugar de quem nunca rompe o silêncio, mesmo com todos os limites impostos estruturalmente, seria confiná-las à mesma lógica que vem se combatendo? Seria confiná-las a um beco sem saída, sem qualquer possiblidade de transcendência. Os saberes produzidos pelos indivíduos de grupos historicamente discriminados, para além de serem contradiscursos importantes, são lugares de potência e configuração do mundo por outros olhares e geografias. Spivak, entretanto, se posiciona de forma a criticar a romantização dos sujeitos que resistem.

O primeiro capítulo de *Plantations Memories: Episodes of Everyday Racism*, de Grada Kilomba, é intitulado "A máscara: colonialismo, memória, trauma e descolonização"[45], e, para ilustrar, há uma pintura da escrava Anastácia[46]. Anastácia foi obrigada a viver com uma máscara cobrindo sua boca. Kilomba explica que, formalmente, a máscara era usada para impedir que as pessoas negras escravizadas se alimentassem enquanto eram forçadamente obrigadas a trabalhar nas plantações, mas, segundo a autora, a máscara também tinha a função de impor silêncio e medo, na medida em que a boca era um lugar tanto para impor silêncio como para praticar tortura. Interessante notar que a escritora negra brasileira Conceição Evaristo, ganhadora do prêmio Jabuti com sua obra *Olhos d'água*, faz um diálogo interessante com o que Grada Kilomba diz, e podemos afirmar que também discorda de Spivak no sentido de acreditar na quebra do silêncio instituído. Em uma entrevista ao site *Carta Capital*, ela diz:

> [...] aquela imagem da escrava Anastácia, eu tenho dito muito que a gente sabe falar pelos orifícios da máscara e às vezes a gente fala com tanta potência que a máscara é estilhaçada. E eu acho que o estilhaçamento é um símbolo nosso, porque nossa fala força a máscara.[47]

Para além da questão concreta daquela mulher ser obrigada a calar-se, a usar um artefato em sua boca, Kilomba pensa essa máscara como a afirmação do projeto colonial. Vê essa máscara como "*a mask of speechless*" – em tradução literal "a máscara daquelas que não podem falar". Nessa perspectiva, essa máscara legitima a política de silenciar *Os Outros*, afirma a pensadora. As perguntas que a autora faz nesse capítulo são importantes para a nossa reflexão de quem pode falar. Questiona: "Quem pode falar?", "O que acontece quando nós falamos?" e "Sobre o que é nos permitido falar?".

Esses questionamentos são fundamentais para que possamos entender lugares de fala. Dentro desse projeto de colonização, quem foram os sujeitos autorizados a falar? O medo imposto por aqueles que construíram as máscaras serve para impor limites aos que foram silenciados? Falar, muitas vezes, implica receber castigos e represálias, e justamente por isso, muitas vezes, prefere-se concordar com o discurso hegemônico como modo de sobrevivência? E, se falamos, podemos falar sobre tudo ou somente sobre o que nos é permitido falar? Numa sociedade supremacista branca e patriarcal, mulheres brancas, mulheres negras, homens negros, pessoas transexuais, lésbicas, gays podem falar do mesmo modo que homens brancos cis heterossexuais? Existe o mesmo espaço e legitimidade? Quando existe algum espaço para falar, por exemplo, para uma travesti negra, é permitido que ela fale sobre Economia, Astrofísica, ou só é permitido que fale sobre temas referentes ao fato de ser uma travesti negra? Saberes construídos fora do espaço acadêmico são considerados saberes? Kilomba nos incita a pensar sobre quais são os limites impostos dentro dessa lógica colonial e nos faz refletir sobre as consequências da imposição da máscara do silêncio.

> A máscara, portanto, suscita muitas questões: por que a boca do sujeito negro deve ser presa? Por que ela ou ele deve ser silenciado? O que poderia dizer o sujeito negro se sua boca não fosse selada? E o que o sujeito branco deveria ouvir? Há um medo apreensivo de que, se o sujeito colonial falar, o colonizador terá que escutar. Ele/ela seria forçado a um confronto desconfortável com as verdades dos "Outros". Verdades que foram negadas, reprimidas e mantidas em silêncio, como segredos. Eu gosto dessa frase "quieto na medida em que é forçado a". Essa é uma expressão das pessoas da Diáspora africana que anuncia como alguém está prestes a revelar o que se supõe ser um segredo. Segredos como a escravidão. Segredos como o colonialismo. Segredos como o racismo. (KILOMBA, 2012, p. 20)[48]

Kilomba toca num tema essencial quando discutimos lugares de fala: é necessário escutar por parte de quem sempre foi autorizado a falar. A autora coloca essa dificuldade da pessoa branca em ouvir, por conta do incômodo que as vozes silenciadas trazem, do confronto que é gerado quando se rompe com a voz única. Necessariamente, as narrativas daquelas que foram forçadas ao lugar do *Outro* serão narrativas que visam trazer conflitos necessários para a mudança. O não ouvir é a tendência a permanecer num lugar cômodo e confortável daquele que se intitula poder falar sobre os *Outros*, enquanto esses *Outros* permanecem silenciados.

Ainda segundo Kilomba, o medo branco em não ouvir o que o sujeito negro pode eventualmente revelar pode ser articulado com a noção freudiana de repressão, no sentido de afastar algo e mantê-lo à distância da consciência. Ideias e verdades desagradáveis seriam mantidas fora da consciência por conta da extrema ansiedade, culpa e vergonha que elas causam. Mais além: o medo branco ou manter-se "inconsciente" diante dessas verdades e realidades protegeria o sujeito branco de ter que lidar com os conhecimentos dos *Outros*. A autora segue afirmando que, uma vez confrontado com os segredos coletivos e verdades desagradáveis da "história muito suja"[49], os sujeitos brancos, geralmente, argumentam não saber, não conhecer, não lembrar, não acreditar ou não ter sido convencido. Essas expressões seriam parte desse processo de repressão de manter essas verdades esquecidas.

Falar de racismo, opressão de gênero, é visto geralmente como algo chato, "mimimi" ou outras formas de deslegitimação. A tomada de consciência sobre o que significa desestabilizar a norma hegemônica é vista como inapropriada ou agressiva, porque aí se está confrontando poder.

TODO MUNDO TEM LUGAR DE FALA

> *Minha resposta ao racismo é raiva. Eu vivi boa parte da minha vida com essa raiva, ignorando-a, me alimentando dela, aprendendo a usar antes que jogasse minhas visões no lixo. Uma vez fiz isso em silêncio, com medo do peso. Meu medo da raiva não me ensinou nada. O seu medo dessa raiva também não vai te ensinar nada.*
> Audre Lorde[50]

Um dos equívocos mais recorrentes que vemos acontecer é a confusão entre lugar de fala e representatividade. Uma travesti negra pode não se sentir representada por um homem branco cis, mas esse homem branco cis pode teorizar sobre a realidade das pessoas trans e travestis a partir do lugar que ele ocupa. Acreditamos que não pode haver essa desresponsabilização do sujeito do poder. A travesti negra fala a partir de sua localização social, assim como o homem branco cis. Se existem poucas travestis negras em espaços de privilégio, é legítimo que exista uma luta para que elas de fato possam ter escolhas numa sociedade que as confina a um determinado lugar; logo, é justa a luta por representação, apesar dos seus limites. Porém, falar a partir de lugares é também romper com essa lógica de que somente os subalternos falem de suas localizações, fazendo com que aqueles inseridos na norma hegemônica nem sequer se pensem. Em outras palavras, é preciso cada vez mais que homens brancos cis estudem branquitude, cisgeneridade, masculinos. Como disse Rosane Borges para a matéria "O que é lugar de fala e como ele é aplicado no debate público"[51], pensar lugar de fala é uma postura ética, pois "saber o lugar de onde falamos é fundamental para pensarmos as hierarquias, as questões de desigualdade, pobreza, racismo e sexismo".

Outra crítica, no nosso entendimento, equivocada, que comumente ouvimos é de que o conceito de lugar de fala visa restringir a troca de ideias, encerrar uma discussão ou impor uma visão. Grada Kilomba explica bem essa questão ao falar de repressão, mas Jota Mombaça, no artigo "Notas estratégicas quanto aos usos políticos do conceito de lugar de fala"[52], também elucida bem essa questão:

> Muito se fala sobre como esse conceito tem

sido apropriado de modo a conceder ou não autoridade para falar com base nas posições e marcas políticas que um determinado corpo ocupa num mundo organizado por formas desiguais de distribuição das violências e dos acessos. O que as críticas que vão por essa via aparentemente não reconhecem é o fato de que há uma política (e uma polícia) da autorização discursiva que antecede a quebra promovida pelos ativismos do lugar de fala. Quero dizer: não são os ativismos do lugar de fala que instituem o regime de autorização, pelo contrário. Os regimes de autorização discursiva estão instituídos contra esses ativismos, de modo que o gesto político de convidar um homem cis eurobranco a calar-se para pensar melhor antes de falar introduz, na realidade, uma ruptura no regime de autorizações vigente. Se o conceito de lugar de fala se converte numa ferramenta de interrupção de vozes hegemônicas, é porque ele está sendo operado em favor da possibilidade de emergências de vozes historicamente interrompidas. Assim, quando os ativismos do lugar de fala desautorizam, eles estão, em última instância, desautorizando a matriz de autoridade que construiu o mundo como evento epistemicida;[53] e estão também desautorizando a ficção segundo a qual partimos todas de uma posição comum de acesso à fala e à escuta.

A interrupção do regime de autoridade que as múltiplas vozes tentam promover faz com que essas vozes sejam combatidas de modo a manter esse regime. Existe a tentativa de dizer "voltem para seus lugares", posto que o grupo localizado no poder acredita não ter lugar.

Assim, entendemos que todas as pessoas possuem lugares de fala, pois estamos falando de localização social. E, partir disso, é possível debater e refletir criticamente sobre os mais variados temas presentes na sociedade. O fundamental é que indivíduos pertencentes ao grupo social privilegiado em termos de *locus* social consigam enxergar as hierarquias produzidas a partir desse lugar, e como esse lugar impacta diretamente a constituição dos lugares de grupos subalternizados.

Numa sociedade como a brasileira, de herança escravocrata, pessoas negras vão experienciar racismo do lugar de quem é objeto dessa opressão, do lugar que restringe oportunidades por conta desse sistema de opressão. Pessoas brancas vão experienciar do lugar de quem se beneficia dessa mesma opressão. Logo, ambos os grupos podem e devem discutir essas questões, mas falarão de lugares distintos. Estamos dizendo, principalmente, que queremos e reivindicamos que a história sobre a escravidão no Brasil seja contada por nossas perspectivas, e não somente pela perspectiva de quem venceu, para parafrasear Walter Benjamin, em "Teses sobre o conceito de história"[54], estamos apontando para a importância de quebra de um sistema vigente que invisibiliza essas narrativas.

Com todos os limites, o espaço virtual tem sido um espaço de disputas de narrativas; pessoas de grupos historicamente discriminados encontraram aí um lugar de existir, seja na criação de páginas, sites, seja em canais de vídeos, blogs.

Existe nesse espaço uma disputa de narrativa, mas ainda aquém do ideal por conta das barreiras institucionais que impedem o acesso de vozes dissonantes. Como expressar-se não é um direito garantido a todos e todas – ainda há a necessidade de democratização das mídias e rompimento de um monopólio –, a discussão sobre liberdade de expressão também não pode ser pautada unicamente no direito – não absoluto – de expressar opiniões. Friso que mesmo diante dos limites impostos, vozes dissonantes têm conseguido produzir ruídos e rachaduras na narrativa hegemônica, o que muitas vezes, desonestamente, faz com que essas vozes sejam acusadas de agressivas por lutarem contra a violência do silêncio imposto. O grupo que sempre teve o poder, numa inversão lógica e falsa simetria causada pelo medo de não ser único, incomoda-se com os levantes de vozes. Entretanto, mesmo com essas rachaduras, torna-se essencial o prosseguimento do debate estrutural, uma vez que uma coisa não anula a outra, definitivamente.

Numa palestra-performance que realizou em 2016, no Brasil, a chamada "Descolonizando o conhecimento"[55], Grada Kilomba descreve de forma simples e brilhante a importância de se romper hierarquias instituídas pelo discurso autorizado.

Algo passível de se tornar conhecimento torna-se então toda epistemologia que reflete os interesses políticos específicos de uma sociedade branca colonial e patriarcal.

Por favor, deixem-me lembrar-lhes o que significa o termo epistemologia. O termo é composto pela palavra grega *episteme*, que significa conhecimento, e *logos*, que significa ciência. Epistemologia é, então, a ciência da aquisição de conhecimento, que determina:

1) (os temas) quais temas ou tópicos merecem atenção e quais questões são dignas de serem feitas com o intuito de produzir conhecimento verdadeiro.

2) (os paradigmas) quais narrativas e interpretações podem ser usadas para explicar um fenômeno, isto é, a partir de qual perspectiva o conhecimento verdadeiro pode ser produzido.

3) (os métodos) e quais maneiras e formatos podem ser usados para a produção de conhecimento confiável e verdadeiro. Epistemologia, como eu já havia dito, define não somente como, mas também quem produz conhecimento verdadeiro e em quem acreditarmos.

É comum ouvirmos o quão interessante nosso trabalho é, mas também ouvimos o quão específico ele é:

"Isso não é nada objetivo!"

"Você tem que ser neutra…"

"Se você quiser se tornar uma acadêmica, não pode ser pessoal"

"A ciência é universal, não subjetiva"

"Seu problema é que você superinterpreta a realidade, você deve se achar a rainha da interpretação!"

> Tais comentários ilustram uma hierarquia colonial, pela qual pessoas negras e racializadas são demarcadas. Assim que começamos a falar e a proferir conhecimento, nossas vozes são silenciadas por tais comentários, que, na verdade, funcionam como máscaras metafóricas. Tais observações posicionam nossos discursos de volta para as margens como conhecimento 'des-viado' e desviante enquanto discursos brancos permanecem no centro, como norma. Quando eles falam, é científico, quando nós falamos, não é científico.
> Universal/específico;
> Objetivo/subjetivo;
> Neutro/pessoal;
> Racional/emocional;
> Imparcial/parcial;
> Eles têm fatos, nós temos opiniões; eles têm conhecimento; nós, experiências.
> Nós não estamos lidando aqui com uma "coexistência pacífica de palavras"[56], e sim com uma hierarquia violenta que determina quem pode falar.

Podemos ver com essa citação de Kilomba como há similaridades nas reflexões trazidas pelas principais autoras aqui pensadas. Todas refutam a neutralidade epistemológica, a necessidade do reconhecimento de outros saberes e a importância de entendê-los como localizados, e a importância de se romper com um postulado de silêncio. Lélia Gonzalez, Linda Alcoff, Spivak, entre outras, pensam a necessidade de romper com a epistemologia dominante e de fazer o debate sobre identidades pensando o modo pelo qual o poder instituído articula essas identidades de modo a oprimir e a retificá-las. Pensar lugares de fala para essas pensadoras seria desestabilizar e criar fissuras e tensionamentos a fim de fazer emergir não somente contradiscursos, posto que ser contra ainda é ser contrária a alguma coisa. Ser contra-hegemônica ainda é ter como norte aquilo que me impõem. Sim, os discursos trazidos por essas autoras são contra-hegemônicos no sentido de que visam desestabilizar a norma, mas igualmente são discursos potentes e construídos a partir de outros referenciais e geografias; visam pensar outras possibilidades de existências para além das impostas pelo regime discursivo dominante.

Não há aqui a imposição de uma epistemologia de verdade, mas um chamado à reflexão. As obras apresentadas pelas diversas autoras desvelam as opressões sofridas por diferentes grupos, conforme elas continuam a agir de modo a restringir direitos. Não é um dever ser, mas há aí um desvelamento dos processos históricos que colocam determinados grupos em posições subalternas.

Pensar lugar de fala seria romper com o silêncio instituído para quem foi subalternizado, um movimento no sentido de romper com a hierarquia, muito bem classificada por Derrida como violenta.

Há pessoas que dizem que o importante é a causa, ou uma possível "voz de ninguém", como se não fôssemos corporificados, marcados e deslegitimados pela norma colonizadora. Mas, comumente, só fala na voz de ninguém quem sempre teve voz e nunca precisou reivindicar sua humanidade. Não à toa iniciamos esse livro com uma citação de Lélia Gonzalez: "o lixo vai falar, e numa boa"[57].

NOTAS E REFERÊNCIAS

1. No original: "[...] in our own name". HALL, Stuart. Cultural Indentity and Diaspora. In: RUTHERFORD, Jonathan (Ed). *Identity, Community, Culture Difference*. London: Lawrence and Whishart Limited, 1990. p. 222.

2. *E eu não sou uma mulher?* também é o nome do primeiro livro de bell hooks, lançado em 1981, inspirado no discurso de Truth.

3. GELEDES. Sojourner Truth. Disponível em: <https://goo.gl/1e-QobC>. Acesso em: 21 set. 2017.

4. Segundo a visão dominante do feminismo, a história é dividida em três ondas com características muito específicas, apesar dessa visão ser contestada por feministas negras e brancas, como Clare Hemmings, que, em "Contando estórias feministas", diz que "apesar da evidente variedade da teoria feminista, dentro e fora do 'ocidente', ao contar-se sua estória recente, uma narrativa dominante aparece, ainda que apresente uma gama de inflexões afetivas e críticas. Essa estória divide o passado recente em décadas definidas para fornecer uma narrativa de progresso incansável ou de perda, proliferação ou homogeneização". HEMMINGS, Clare. "Contando estórias feministas". *Revista Estudos Feministas*, v. 17, n. 1, p. 215-241, jan./abr., 2009. Disponível em: <https:/goo.gl/tcFB8v>. Acesso em: 21 set. 2017. Recomendo também, para maior compreensão, o livro *Breve história sobre o feminismo no Brasil*, de Maria Amélia de Almeida Teles.

5. Por mais que não a considerem feminista na acepção do termo.

6. Nascida Gloria J. Watkin, essa intelectual negra assume o nome de sua avó e prefere que seja escrito assim, em minúsculo.

7. XAVIER, Giovana. "Feminismo: direitos autorais de uma prática linda e preta". *Folha de S.Paulo*, 19 jul. 2017. Disponível em: <https://goo.gl/JVA9FJ>. Acesso em: 25 set. 2017.

8. No original:
"When I saw them women on the stage
at the Woman's Suffrage Convention,
the other day,
I thought,
What kind of reformers be you,
with goose-wings on your heads,
as if you were going to fly,
and dressed in such ridiculous fashion,
talking about reform and women's rights?
'Pears to me, you had better reform yourselves first.
But Sojourner is an old body,
and will soon get out of this world into another,
and wants to say when she gets there,
Lord, I have done my duty,
and I have told the whole truth
and kept nothing back."
ALL POETRY. On Woman's Dress. Disponível em: <https://goo.gl/6M5Svw>. Acesso em: 25 set. 2017.

9. Harriet Jacobs, assim como Truth, foi uma ex-escravizada que lutou no movimento abolicionista do Estados Unidos. Ela teve sua autobiografia publicada sob o título *Incidents in the Life of a Slavery Girl*, com o pseudônimo de Linda Brent, no qual relata abusos e violências que negras escravizadas sofriam.

10. Haraway sustenta que todos os conhecimentos são "situados" (social e historicamente) e, portanto, parciais.

Porém, isso não significa dizer que, para Haraway, é preciso que se abandone todo e qualquer critério de "objetividade". Ao contrário, Haraway ocupa-se de fortalecer uma noção de objetividade em vez de concordar com a crítica feminista pós-moderna. HARAWAY, Donna. "Saberes localizados: a questão da ciência para o feminismo e o privilégio da perspectiva parcial". *Cadernos Pagu*, n. 5, 1995. Disponível em: <https://goo.gl/CV71ra>. Acesso em: 18 set. 2017.

11. A feminista Gloria Anzaldúa também propõe uma insurgência contra a gramática narrativa enfatizando o chicano. "[...] o espanhol chicano é uma língua fronteiriça que se desenvolveu naturalmente. Mudança, *evolución, enriquecimiento de palabras nuevas por invención o adopción* tem criado variantes do espanhol chicano, uma nova linguagem. *Un lenguaje que corresponde a un modo de vivir*. O espanhol chicano não é incorreto, é uma língua viva". ANZALDÚA, Gloria. Como domar uma língua selvagem. *Cadernos de Letras da UFF*, Dóssie Difusão da Língua Portuguesa, n. 39, p. 307, 2009. Disponível em: <https://goo.gl/Ly6Eyt>. Acesso em: 26 set. 2017.

12. Ver mais em: hooks, bell. *Ensinando a transgredir*: a educação como prática da liberdade. São Paulo: Martins Fontes, 2013.

13. HOOKS, bell. "Intelectuais negras". Disponível em: <https://goo.gl/bEwfrQ>. Acesso em: 25 set. 2017.

14. No original:
[...] I am not going away;
I am going to stay here
And stand the fire [...].
ALL POETRY. To The Preachers (The Second Advent

Doctrines). Disponível em: <https://goo.gl/1bD7cE>. Acesso em: 26 set. 2017.

15. Má-fé no sentido estrito sartreano. Para Sartre, má-fé é a tentativa de isentar-se da responsabilidade a ponto de reduzir-se à pura coisidade (em si), é tornar-se passivo e atribuir suas ações ao temperamento, adotar uma religião e aceitar seus dogmas ou ainda alegar ter certa personalidade por conta de raça ou gênero. Não é uma mentira a qual o sujeito esconde a verdade de alguém, mas quando esconde de si mesmo. "A má-fé, como dissemos, é mentir a si mesmo. Por certo, para quem pratica a má-fé, trata-se de mascarar uma verdade desagradável ou apresentar como verdade um erro agradável. A má-fé tem na aparência, portanto, a estrutura da mentira. Só que – e isso muda tudo – na má-fé eu mesmo escondo a verdade de mim mesmo". SARTRE, Jean-Paul. *O ser e o nada*: ensaio de ontologia fenomenológica. Tradução de Paulo Perdigão. Petrópolis: Vozes, 1997. p. 94.

16. Escritora e professora do Departamento de Estudos de Gênero da Humboldt Universität, em Berlim.

17. No original: "Black women have thus been positioned with in several discourses that misrepresent our own reality: a debate on racism where the subject is Black male; a gendered discourse where the subject is white female; and a discourse on class where 'race' has no place at all. We occupy a very critical place with in theory. It is because of this ideological lack, argues Heidi Safia Mirza (1997) that Black women inhabit an empty space, a space that overlaps the margins of "race" ande gender, the so called 'third space'. We inhabit a kind of vacuum of erasure and

contradiction 'sustained by the polarization of the world into Black one side and women on the other' (MIRZA, 1997: 4). Us in between. This is, of course, a serious theoretical dilemma, in which the concepts of 'race' ande gender narrowly merge into one. Such separative narratives maintain the invisibility of Black women in academic and political debates".

18. KILOMBA, Grada. "Plantation Memories: Episodes of Everyday Racism". Münster: Unrast Verlag, 2012. Disponível em: <https://goo.gl/w3ZbQh>. Acesso em: 25 set. 2017.

19. A categoria homem negro também é diversa e interseccionada com marcações de sexualidade, identidade de gênero, classe entre outras. Na coleção Feminismos Plurais abordaremos temas referentes às masculinidades negras.

20. PINHEIRO; LIMA JR.; FONTOURA; SILVA. "Mulheres e trabalho: breve análise do período 2004-2014". *Ipea*, Brasília, n. 24, mar., 2016. Disponível em: <https://goo.gl/94MP9h>. Acesso em: 25 set. 2017.

21. WAISELFISZ, Julio Jacobo. Mapa da violência 2015: homicídio de mulheres no Brasil. Brasília: FLASCO Brasil. Disponível em: <https://goo.gl/oT5VdW>. Acesso em: 25 set. 2017.

22. WERNECK, Jurema. "Nossos passos vêm de longe! Movimentos de mulheres negras e estratégias políticas contra o sexismo e o racismo". *Revista da ABPN*, n. 1, v. 1 mar./jun., 2010.

23. BEAUVOIR, Simone. *O segundo sexo*: fatos e mitos. Tradução de Sérgio Milliet. 4. ed. São Paulo: Difusão Europeia do Livro, 1980b. p. 18.

24. LIMA, Ana Nery Correia. Mulheres militantes negras: a interseccionalidade de gênero e raça na produção das identidades contemporâneas. Disponível em: <https://goo.gl/w71f4n>. Acesso em: 25 set. 2017.

25. COLLINS, Patricia Hill. Aprendendo com a outsider within: a significação sociológica do pensamento feminista negro. *Sociedade e Estado*, v. 31, n. 1, p. 99-127, 2016. Disponível em: <https://goo.gl/RmjB7R>. Acesso em: 12 set. 2017.

26. Idem.

27. Luiza Bairros em Nossos feminismos revisitados também nos oferece uma perspectiva interessante tendo como base mulheres negras domésticas.

28. CARNEIRO, Sueli. Enegrecer o feminismo: a situação da mulher negra na América Latina a partir de uma perspectiva de gênero. In: ASHOKA EMPREENDEDORES SOCIAIS; TAKANO CIDADANIA (Orgs.). *Racismos contemporâneos*. Rio de Janeiro: Takano Editora, 2003. (Coleção valores e atitudes. Série Valores; n. 1. Não discriminação).

29. SEBASTIÃO, Ana Angélica. Feminismo negro e suas práticas no campo da cultura. *Revista da ABPN*, v. 1, n. 1, mar./jun., 2010.

30. "O fato é que, enquanto mulher negra sentimos a necessidade de aprofundar a reflexão, ao invés de continuarmos na repetição e reprodução de modelos que nos eram oferecidos pelo esforço de investigação das ciências sociais. Os textos só falavam da mulher negra numa perspectiva sócio-econômica que elucidava uma série de problemas propostos pelas relações raciais. Mas ficava (e

ficará) sempre um resto que desafiava as explicações." GONZALEZ, Lélia. Racismo e sexismo na cultura brasileira. *Revista Ciências Sociais Hoje*, Anpocs, 1984. p. 225. Disponível em: <https:/ goo.gl/VFdjdq>. Acesso em: 25 set. 2017.

31. LORDE, Audre. Mulheres negras: As ferramentas do mestre nunca irão desmantelar a casa do mestre. Tradução de Renata. *Geledes*, 10 set. 2013. Disponível em: <https:// goo. gl/zaR3sV>. Acesso em: 26 set. 2017.

32. No original: "Why do I write? 'Cause I have to 'Cause my voice, in all its dialects has been silent too long". SAM-LA ROSE, Jacob. Poesia. In: KILOMBA, Grada. "Plantation Memories: Episodes of Everyday Racism". Münster: Unrast Verlag, 2012. p. 12. Disponível em: <https://goo.gl/w3ZbQh>. Acesso em: 25 set. 2017.

33. "Suponho que em toda sociedade a produção do discurso é ao mesmo tempo controlada, selecionada, organizada e redistribuída por certo número de procedimentos que tem por função conjurar seus poderes e perigos, dominar seu acontecimento aleatório, esquivar sua pesada e temível materialidade". FOUCAULT, Michel. *A ordem do discurso*. São Paulo: Edições Loyola, 2012. p. 8-9.

34. AMARAL, Márcia Franz. Lugares de fala: um conceito para abordar o segmento popular da grande imprensa. *Contracampo*, n. 12, p. 103-114, jan./jul., 2005.

35. "[...] o conceito de lugares de fala foi construído na tese de doutorado Lugares de fala do leitor no Diário Gaúcho, para analisar um jornal popular da grande imprensa cujas estratégias de popularização não se reduzem ao sensacionalismo". AMARAL, Márcia Franz. Lugares de fala:

um conceito para abordar o segmento popular da grande imprensa. *Contracampo*, n. 12, p. 104, jan./jul., 2005.

36. Infelizmente, esse livro ainda não foi traduzido para o português, entretanto, há uma tradição entre as estudiosas de referenciar o livro de Collins, *Black Feminist Thought: Knowledge, Consciousness and the Polittics of Empowerment*, de "Pensamento do feminismo negro".

37. COLLINS, Patricia Hill. "Comentário sobre o artigo de Hekman 'Truth and Method: Feminist Standpoint Theory Revisited': Onde está o poder?" *Signs*, v. 22, n. 2, p. 375-381, 1997. [Tradução de Juliana Borges]

38. Idem.

39. Idem.

40. BAIRROS, Luiza. Nossos feminismos revisitados. In: RIBEIRO, Matilde (Org.). Dossiê Mulheres Negras. *Revista Estudos Feministas*, Florianópolis, v. 3, n. 3, 1995.

41. Como já dito anteriormente, para além da conceituação dada pela Comunicação, não existe precisão de origem em relação ao conceito propriamente dito e nem uma epistemologia determinada. Nossa hipótese é que a partir dos estudos das autoras aqui citadas seja possível conceitualizar e ampliar o entendimento.

42. "[...] o Outro como Sujeito é inacessível para Foucault e Deleuze". SPIVAK, Gayatri. *Pode o subalterno falar?* Belo Horizonte: Editora UFMG, 2010. p. 54.

43. "Ora, o que os intelectuais descobriram recentemente é que as massas não necessitam deles para saber; elas sabem perfeitamente, claramente, muito melhor do que eles; e elas o dizem muito bem. Mas existe um sistema de poder que

barra, proíbe, invalida esse discurso e esse saber. [...] O papel do intelectual não é mais o de se colocar 'um pouco na frente ou um pouco de lado' para dizer a muda verdade de todos; é antes o de lutar contra as formas de poder exatamente onde ele é, ao mesmo tempo, o objeto e o instrumento: na ordem do saber, da 'verdade', da 'consciência', do discurso". FOUCAULT, Michel. Os intelectuais e o poder. In: . *Microfísica do poder*. Rio de Janeiro: Edições Graal, 2004. p. 71.

44. Expressão utilizada pela filósofa estadunidense Judith Butler para se referir a grupos historicamente discriminados.

45. No original: "The Mask: Colonialism, Memory, Trauma and Decolonization".

46. Seu nome africano é desconhecido. Não há precisão histórica sobre sua origem, mas acredita-se que Anastácia foi filha do rei Kimbundo, nascida em Angola e levada à força para a Bahia durante a escravidão ou que ela foi uma princesa Nagô/Iorubá antes do processo de escravização.

47. RIBEIRO, Djamila. "Conceição Evaristo: 'Nossa fala estilhaça a máscara do silêncio'". *Carta Capital*, 13 maio 2017. Disponível em: <https://goo.gl/ARsknv>. Acesso em: 28 set. 2017.

48. No original: "The mask, therefore, raises many questions: Why must the mouth of the Black subject be fastened? Why must she or he be silenced? What could the Black subject say if her or his mouth were not sealed? And what would the White subject have to listen to? There is an apprehensive fear that if the colonial subject speaks, the colonizer will have to listen. She/he would be forced into na uncomfortable confrontation with 'Others' truths.

Truths that have been denied, repressed and kept quiet, as secrets. I do like this frase 'quiet as it's kept'. It is an expression of the African Diasporic people that announces how someone is about to reveal what is presumed to be a secret. Secrets like slavery. Secrets like colonialism. Secrets like racism".

49. Uma expressão utilizada pela escritora Toni Morrison, primeira mulher negra a ganhar o Nobel de Literatura, em 1993. Morrison assim descreve seu trabalho como trazendo luz ao "negócio sujo do racismo". KILOMBA, Grada. "Plantation Memories: Episodes of Everyday Racism". Münster: Unrast Verlag, 2012. p. 21. Disponível em: <https:/ goo.gl/w3ZbQh>. Acesso em: 25 set. 2017.

50. LORDE, Audre. "Os usos da raiva: mulheres respondendo ao racismo". Tradução de Renata. *Geledes*, 19 maio 2013. Disponível em: <https://goo.gl/MfpQbV>. Acesso em: 28 set. 2017.

51. MOREIRA, Matheus; DIAS, Tatiana. "O que é 'lugar de fala' e como ele é aplicado no debate público". *Nexo Jornal*, 16 jan. 2017. Disponível em: <https://goo.gl/KgMHZQ>. Acesso em: 21 set. 2017.

52. MOMBAÇA, Jota. "Notas estratégicas quanto ao uso politico do conceito de lugar de fala". Disponível em: <https://goo. gl/DpQxZx>. Acesso em: 15 set. 2017.

53. "Alia-se nesse processo de banimento social a exclusão das oportunidades educacionais, o principal ativo para a mobilidade social no país. Nessa dinâmica, o aparelho educacional tem se constituído, de forma quase absoluta, para os racialmente inferiorizados, como fonte de múltiplos processos de aniquilamento da capacidade cognitiva e da

confiança intelectual. É fenômeno que ocorre pelo rebaixamento da auto-estima que o racismo e a discriminação provocam no cotidiano escolar; pela negação aos negros da condição de sujeitos de conhecimento, por meio da desvalorização, negação ou ocultamento das contribuições do Continente Africano e da diáspora africana ao patrimônio cultural da humanidade; pela imposição do embranquecimento cultural e pela produção do fracasso e evasão escolar. A esses processos denominamos epistemicídio". CARNEIRO, Sueli. Epistemicídio. *Geledes*, 4 set. 2017. Disponível em: <https://www.geledes.org.br/ epistemicidio/>. Acesso em: 21 set. 2017.

54. BENJAMIN, Walter. Sobre conceito da História. In: *Magia e técnica, arte e política*: ensaios sobre literatura e história da cultura. Tradução de Sérgio Paulo Rouanet. 3. ed. São Paulo: Brasiliense, 1987. Obras escolhidas, v. 1. Disponível em: <https://goo.gl/xLcX3Y>. Acesso em: 29 set. 2017.

55. Grada realizou a palestra-performance "Descolonizando o conhecimento" e foi transcrita pelo Instituto Goethe. Disponível em: <https://goo.gl/ sYWwY1>. Acesso em: 25 set. 2017.

56. DERRIDA, Jacques. *Positions*. Chicago: University of Chicago Press, 1981.

57. GONZALEZ, Lélia. Racismo e sexismo na cultura brasileira. *Revista Ciências Sociais Hoje*, Anpocs, 1984. p. 225. Disponível em: <https://goo.gl/VFdjdq>. Acesso em: 25 set. 2017.

Referências bibliográficas

ALCOFF, Linda. Uma epistemologia para a próxima revolução. *Sociedade e Estado*. Brasília, n. 1, v. 31, jan./abr., 2016. Disponível em: <https://goo.gl/bKi4Pu>. Acesso em: 25 set. 2017.

ANZALDÚA, Gloria. Como domar uma língua selvagem. *Cadernos de Letras da UFF*, Dóssie Difusão da Língua Portuguesa, n. 39, p. 297-309, 2009. Disponível em: <https://goo.gl/Ly6Eyt>. Acesso em: 26 set. 2017.

ALL POETRY. On Woman's Dress. Disponível em: <https://goo.gl/6M5Svw>. Acesso em: 25 set. 2017.

ALL POETRY. To The Preachers (The Second Advent Doctrines). Disponível em: <https://goo.gl/1bD7cE>. Acesso em: 26 set. 2017.

AMARAL, Márcia Franz. Lugares de fala: um conceito para abordar o segmento popular da grande imprensa. *Contracampo*, n. 12, p. 103-114, jan./jul., 2005.

BAIRROS, Luíza. Mulher negra: o reforço da subordinação. In: LOVELL, P. (Org). *Desigualdade racial no Brasil contemporâneo*. Belo Horizonte: UFMG/CEDEPLAR, 1991.

BAIRROS, Luíza. Nossos feminismos revisitados. In: RIBEIRO, Matilde (Org.). *Revista Estudos Feministas*, Dossiê Mulheres Negras, Florianópolis, v. 3, n. 3, 1995.

BEAUVOIR, Simone. *O segundo sexo*: a experiência vivida. Tradução de Sérgio Millet. 4. ed. São Paulo: Difusão Europeia do Livro, 1980a.

BEAUVOIR, Simone. *O segundo sexo*: fatos e mitos. Tradução de Sérgio Milliet. 4. ed. São Paulo: Difusão Europeia do Livro, 1980b.

BENJAMIN, Walter. Sobre conceito da História. In: . *Magia e técnica, arte e política*: ensaios sobre literatura e história da cultura. Tradução de Sérgio Paulo Rouanet. 3. ed. São Paulo: Brasiliense, 1987. Obras escolhidas, v. 1. Obras escolhidas. Disponível em: <https://goo.gl/xLcX3Y>. Acesso em: 29 set. 2017.

BRAH, Avtar. Diferença, diversidade, diferenciação. *Cadernos Pagu*, v. 26, p. 329-376, jan./jun., 2006.

CARNEIRO, Sueli. Enegrecer o feminismo: a situação da mulher negra na América Latina a partir de uma perspectiva de gênero. In: ASHOKA EMPREENDEDORES SOCIAIS; TAKANO CIDADANIA (Orgs.). *Racismos contemporâneos*. Rio de Janeiro: Takano Editora, 2003. [Coleção valores e atitudes, série Valores; n. 1. Não discriminação]

CARNEIRO, Sueli. Epistemicídio. *Geledes*, 04 set. 2017. Disponível em: <https://www.geledes.org.br/epistemicidio/>. Acesso em: 21 set. 2017.

COLLINS, Patricia Hill. Aprendendo com a outsider within: a significação sociológica do pensamento feminista negro. *Sociedade e Estado*, v. 31, n. 1, p. 99-127, 2016. Disponível em: <https://goo.gl/RmjB7R>. Acesso em: 12 set. 2017.

COLLINS, Patricia Hill. *Black Feminist Thought*: Knowledge, Consciousness and the Polittics of Empowerment. Nova York: Routledge, 2000.

COLLINS, Patricia Hill. Comentário sobre o artigo de Hekman "Truth and Method: Feminist Standpoint Theory Revisited": Onde está o poder? *Signs*, v. 22, n. 2, p. 375-381, 1997. [Tradução de Juliana Borges]

CRENSHAW, K. Demarginalizing the Intersection of Race and Sex: A Black Feminist Critique of Antidiscrimination Doctrine, Feminist Theory, and Antiracist Politics. Disponível em: <https://goo.gl/KfjTSp>. Acesso em: 15 set. 2017.

CRENSHAW, Kimberlé. Documento para o encontro de especialistas em aspectos da discriminação racial relativos ao gênero. *Revista Estudos Feministas*, ano 10, jan./jul., 2002.

DERRIDA, Jacques. Positions. Chicago: University of Chicago Press, 1981. FOUCAULT, Michel. *A ordem do discurso*. São Paulo: Edições Loyola, 2012.

FOUCAULT, Michel. Os intelectuais e o poder. In: . *Microfísica do poder*. Rio de Janeiro: Edições Graal, 2004.

GELEDES. Sojourner Truth. Disponível em: <https://goo.gl/1eQobC>. Acesso em: 21 set. 2017.

GONZALEZ, Lélia. Racismo e sexismo na cultura brasileira. *Revista Ciências Sociais Hoje*, Anpocs, 1984. Disponível em: <https://goo.gl/ VFdjdq>. Acesso em: 25 set. 2017.

GUSHIKEN, Luiz. Comunicação pública. Organização de Maria José da Costa Oliveira. Campinas: Alínea Editora, 2014.

HALL, Stuart. *Da diáspora*: identidades e mediações culturais. Organização de Liv Sovick. Tradução de Adelaine La Guardia Resende... [et al]. 1. ed. atual. Belo Horizonte: Editora UFMG, 2009.

HALL, Stuart. Cultural Indentity and Diaspora. In: RUTHERFORD, Jonathan (Ed). *Identity, Community, Culture Difference*. London: Lawrence and Whishart Limited, 1990.

HARAWAY, Donna. Saberes localizados: a questão da ciência para o feminismo e o privilégio da perspectiva parcial. *Cadernos Pagu*, n. 5, 1995. Disponível em: <https://goo.gl/CV71ra>. Acesso em: 18 set. 2017.

HEMMINGS, Clare. Contando estórias feministas. *Revista Estudos Feministas*, v. 17, n. 1, p. 215-241, jan./abr., 2009. Disponível em: <https://goo.gl/tcFB8v>. Acesso em: 21 set. 2017.

HOOKS, bell. *Ensinando a transgredir*: a educação como prática da liberdade. São Paulo: Martins Fontes, 2013.

HOOKS, bell. *Feminism is for Everybody*: Passionate Politics. [S.l]: Pluto Express, 2000.

HOOKS, bell. Intelectuais negras. Disponível em: <https://goo.gl/bEwfrQ>. Acesso em: 25 set. 2017.

HOOKS, bell. *Talking Back*: Thinking Feminist and Talking Black. Boston: South End Press, 1989.

INSTITUTO GOETHE. Descolizando o conhecimento. Disponível em: <https://goo.gl/sYWwY1>. Acesso em: 25 set. 2017.

KILOMBA, Grada. Plantation Memories: Episodes of Everyday Racism. Münster: Unrast Verlag, 2012. Disponível em: <https://goo.gl/w3ZbQh>. Acesso em: 25 set. 2017.

LIMA, Ana Nery Correia. Mulheres militantes negras: a interseccionalidade de gênero e raça na produção das identidades contemporâneas. Disponível em: <https://goo.gl/w71f4n>. Acesso em: 25 set. 2017.

LORDE, Audre. Mulheres negras: As ferramentas do mestre nunca irão desmantelar a casa do mestre. Tradução de Renata. *Geledes*, 10 set. 2013. Disponível em: <https://goo.gl/zaR3sV>. Acesso em: 26 set. 2017.

LORDE, Audre. Os usos da raiva: mulheres respondendo ao racismo. Tradução de Renata. *Geledes*, 19 maio 2013. Disponível em: <https:// goo.gl/MfpQbV>. Acesso em: 28 set. 2017.

LOURO, Guacira Lopes. *Gênero, sexualidade e educação*: uma perspectiva pós-estruturalista. 7. ed. Petrópolis: Vozes, 2004.

MOMBAÇA, Jota. Notas estratégicas quanto ao uso político do conceito de lugar de fala. Disponível em: <https://goo.gl/DpQxZx>. Acesso em: 15 set. 2017.

MOREIRA, Matheus; DIAS, Tatiana. O que é 'lugar de fala' e como ele é aplicado no debate público. *Nexo Jornal*, 16 jan. 2017. Disponível em: <https://goo.gl/KgMHZQ>. Acesso em: 21 set. 2017.

NEGRÃO, T. Feminismo no plural. In: TIBURI, M.; MENEZES, M. M.; EGGERT, E. (Orgs.). *As mulheres e a filosofia*. São Leopoldo: UNISINOS, 2002. p. 271-280.

PINHEIRO; LIMA JR.; FONTOURA; SILVA. Mulheres e trabalho: breve análise do período 2004-2014. *Ipea*, Brasília, n. 24, mar., 2016. Disponível em: <https://goo.gl/94MP9h>. Acesso em: 25 set. 2017.

PISCITELLI, Adriana. Interseccionalidades, categorias de articulação e experiências de migrantes brasileiras. *Sociedade e Cultura*, n. 2, v. 11, p. 263-274, jul./dez., 2008.

PRÁ, J. R. O feminismo como teoria e como prática. In: STREY, M. (Org.). *Mulher: estudos de gênero*. São Leopoldo: UNISINOS, 1997. p. 39-57.

RIBEIRO, Djamila. Conceição Evaristo: "Nossa fala estilhaça a máscara do silêncio". *Carta Capital*, 13 maio 2017. Disponível em: <https://goo.gl/ARsknv>. Acesso em: 28 set. 2017.

SEBASTIÃO, Ana Angélica. Feminismo negro e suas práticas no campo da cultura. *Revista da ABPN*, n. 1, v. 1, mar./jun., 2010.

SARTRE, Jean-Paul. *O ser e o nada*: ensaio de ontologia fenomenológica. Tradução de Paulo Perdigão. Petrópolis: Vozes, 1997.

SOTERO, Edilza Correia. Transformações no acesso ao ensino superior brasileiro: algumas implicações para os diferentes grupos de cor e sexo. In: MARCONDES, Mariana Mazzini ... [et al.]. Dossiê Mulheres negras: retrato das condições de vida das mulheres negras no Brasil. Brasília: *Ipea*, 2013. p. 35-52. Disponível em: <https://goo.gl/P7nmii>. Acesso em: 26 set. 2017.

SPIVAK, Gayatri. *Pode o subalterno falar?* Belo Horizonte: Editora UFMG, 2010.

TOLEDO, Cecília. *Mulheres*: o gênero nos une, a classe nos divide. 2. ed. São Paulo: José Luís e Rosa Sundermann, 2003. (Série Marxismo e opressão.)

WAISELFISZ, Julio Jacobo. Mapa da violência 2015: homicídio de mulheres no Brasil. Brasília: FLASCO Brasil. Disponível em: <https://goo.gl/oT5VdW>. Acesso em: 25 set. 2017.

WERNECK, Jurema. Nossos passos vêm de longe! Movimentos de mulheres negras e estratégias políticas contra o sexismo e o racismo. *Revista da ABPN*, n. 1, v. 1 mar./jun., 2010.

XAVIER, Giovana. Feminismo: direitos autorais de uma prática linda e preta. *Folha de S.Paulo*, 19 jul. 2017. Disponível em: <https://goo.gl/ JVA9FJ>. Acesso em: 25 set. 2017.

Este livro foi composto pelas família tipográficas **Calisto MT**.
Foi impresso pela Edições Loyola em papel Pólen Soft 80g/m², em agosto de 2020